CME-K
2nd Edition

Textbook 课本
简体版

3

CHINESE MADE EASY FOR KIDS

轻松学汉语 少儿版

Yamin Ma

Joint Publishing (H.K.) Co., Ltd.
三联书店（香港）有限公司

Chinese Made Easy for Kids (Textbook 3) (Simplified Character Version)

Yamin Ma

Editor	Li Yuezhan, Shang Xiaomeng
Art design	Arthur Y. Wang, Yamin Ma
Cover design	Arthur Y. Wang, Zhong Wenjun
Graphic design	Zhong Wenjun
Typeset	Sun Suling

Published by

JOINT PUBLISHING (H.K.) CO., LTD.

20/F., North Point Industrial Building,

499 King's Road, North Point, Hong Kong

Distributed by

SUP PUBLISHING LOGISTICS (H.K.) LTD.

16/F., 220-248 Texaco Road, Tsuen Wan, N.T., Hong Kong

First published January 2006

Second edition, first impression, January 2015

Second edition, ninth impression, March 2021

E-mail:publish@jointpublishing.com

轻松学汉语 少儿版 (课本三)(简体版)

编　著	马亚敏
责任编辑	李玥展　尚小萌
美术策划	王　宇　马亚敏
封面设计	王　宇　钟文君
版式设计	钟文君
排　版	孙素玲
出　版	三联书店（香港）有限公司 香港北角英皇道 499 号北角工业大厦 20 楼
发　行	香港联合书刊物流有限公司 香港新界荃湾德士古道 220-248 号 16 楼
印　刷	中华商务彩色印刷有限公司 香港新界大埔汀丽路 36 号 14 字楼
版　次	2006 年 1 月香港第一版第一次印刷 2015 年 1 月香港第二版第一次印刷 2021 年 3 月香港第二版第九次印刷
规　格	大 16 开（210×260mm）128 面
国际书号	ISBN 978-962-04-3592-8

© 2006, 2015 三联书店（香港）有限公司

简介

- 《轻松学汉语》少儿版系列（第二版）是一套专门为汉语作为第二语言／外语学习者编写的国际汉语教材，主要适合小学生使用。

- 本套教材旨在从小培养学生对汉语学习的兴趣，帮助学生奠定扎实的汉语基础，培养学生的汉语交际能力。

- 《轻松学汉语》少儿版共有四册，每册都有课本、练习册、补充练习、读物、教师用书、字卡、图卡、挂图和电子教学资源。

- 本套教材为学习给中学生和大学生编写的《轻松学汉语》（一至七册）奠定了基础。

课程设计

教材内容

- 课本通过课文、根据课文编写的韵律诗、多种形式的练习、有趣的课堂游戏培养学生的语言交际能力，使学生在轻松的氛围中学习汉语。

- 练习册中有汉字描红、抄写汉字、读句子、读短文等练习，重点培养学生的汉字书写和阅读理解能力。

- 补充练习可以根据教学需要配合练习册使用。其中的题目也可以用作单元测验。

- 教师用书为教师提供了具体的教学建议，以及课本、练习册和补充练习的答案。

INTRODUCTION

- The second edition of Chinese Made Easy for Kids is written for primary school children who are learning Chinese as a foreign/second language.

- The primary goal of the series is to help beginners build a solid foundation of Chinese and cultivate interest in learning Chinese. The series is designed to emphasize the development of communication skills from an early age.

- Chinese Made Easy for Kids is composed of 4 textbooks (Books 1-4), and each accompanied by a workbook. This series is supplemented by Worksheets, Readers, Teacher's book, word cards, picture cards, posters and digital resources.

- This series has been written to provide a foundation for the subsequent use of Chinese Made Easy (Books 1-7), that is written for secondary and university students.

DESIGN OF THE SERIES

The content of this series

- The Textbook aims to develop communication skills through audio exercises, conversations, questions and answers, speaking practice and etc. In order to reinforce and consolidate new vocabulary and sentences, the games in the Textbook are designed to create a fun learning environment. The accompanying rhymes mainly consist of the new vocabulary in each lesson to aid language acquisition.

- In order to build a solid foundation for character writing, tracing and copying characters exercises are included in the Workbook. Exercises such as reading phrases, sentences and short paragraphs aim to develop children's reading comprehension skills.

- In order to supplement the exercises in the Workbook, more exercises in the Worksheets are provided. These exercises can be rearranged to make unit tests when needed.

- Answers to the exercises in the Textbook, Workbook and Worksheets along with suggestions for teaching and learning are provided in the Teacher's book.

教材特色

- 考虑到社会的发展、汉语学习者的需求以及教学方法的变化，第二版对 2005 年出版的第一版《轻松学汉语》少儿版作了更新和优化。

o 吸收了一些新词汇。

o 当介绍一个新字时，只提供适合该课的解释。

o 为了方便学生课后温习，这次改版为生词配了录音。

o 重复使用学过的词语，让韵律诗更简单顺口。

o 为了帮助学生更好地掌握汉语数字，增加了数字练习。

o 基于少儿有自然语言习得的特点，量词又是汉语学习中的难点，所以这次改版增加了量词练习。

o 为了使学生能更多地接触汉字，更顺畅地完成练习，在很多图片旁都标注了汉字。

- 语音、汉字、词汇、语法教学都遵循了汉语的内在规律和少儿的学习规律。

o 学生从一开始就接触语音和声调。通过不断练习，帮助学生最终掌握标准的语音和语调。

o 根据汉字本身的结构来教汉字。在掌握了偏旁部首和简单汉字后，学生就有能力分析遇到的生字，也能更有效地记住汉字。

o 所选的词汇都是学生日常生活中常用的。为了巩固和加强学生对词语的掌握，学过的词语会在以后的书中复现。

o 语法不作单独的解释。通过在具体的情景和有趣的练习中不断接触语法，学生会自然地悟出规律。

The characteristics of the series

- Since the 1st edition of Chinese Made Easy for Kids was published in 2005, the 2nd edition has evolved to take into account social development needs, learning needs and advances in foreign language teaching methodology.

o New vocabulary and expressions were included.

o When a new word was introduced, only one meaning was given.

o In order to help children review new vocabulary after school, audio recording was provided.

o Simple and previously learned vocabulary was used to make the rhymes easier.

o More exercises on Chinese numbers were added, in order to help children say numbers in Chinese more automatically and fluidly.

o Measure word exercises were added, as measure words are challenging to learn and children at young age can acquire them in a natural way.

o In order to provide more exposure to Chinese characters and help children perform tasks more smoothly, Chinese characters were given alongside the pictures.

- The teaching of pronunciation, characters, vocabulary and grammar respects the unique Chinese language system and the way Chinese is learned.

o Children will be exposed to the phonetic symbols and tones from the very beginning. Generally, it is found that children will overcome temporary confusion within a short period of time, and will eventually acquire good pronunciation and intonation of Chinese with on-going reinforcement of pinyin practice.

o Chinese characters are taught according to the character formation system. Once the children have a good grasp of radicals and simple characters, they will be able to analyze most of the compound characters they encounter, and to memorize new characters in a logical way.

o Children at this age tend to learn vocabulary related to their environment. The vocabulary in previous books is repeated in later books to consolidate and reinforce memory.

o Grammar and sentence structures are not explained in any forms, rather children arrive at grammar rules through consistent and interesting exercises provided throughout the books.

课堂教学建议

- 如果每天有一节汉语课，一册书能在一年之内学完。教师可以根据学生的汉语水平和学习能力灵活安排教学进度。

- 在使用本套教材时，建议教师：
o 带领学生做语音练习，鼓励学生大声读出生词。
o 一笔一划地演示汉字的写法，指导学生分析每个汉字的结构，鼓励他们发挥想象记忆汉字。
o 课上要尽量为学生提供听力和会话练习的机会。
o 布置练习和活动时可以根据学生的能力和水平作适当的调整，增加难度或者重复使用。练习册中的练习可以在课堂中使用，也可以让学生在家里做。
o 鼓励学生背诵第三、四册课本中的乘法口诀表。

- 在使用本套教材时，学生应该：
o 反复聆听课文和生词的录音。
o 就课本中的课文插图做对话练习或复述课文。
o 朗读并背诵每课的韵律诗。
o 做生字的描红练习，记住偏旁部首和简单汉字。

马亚敏

2014 年 8 月于香港

HOW TO USE THIS SERIES

- With one lesson daily, able and highly motivated children can complete one book within one academic year. Ultimately, the pace of teaching depends on the children's level and ability. Here are a few suggestions from the author.

- The teachers should:
o Go over the phonetic exercises in the textbook with the children. At a later stage, the children should be encouraged to pronounce new pinyin on their own.
o Demonstrate the stroke order of each character to beginners. The teacher should guide the children in analyzing new characters and encourage them to use their imagination to aid memorization.
o Provide every opportunity for the children to develop their listening and speaking skills.
o Modify, recycle or extend the games and some exercises according to the children's levels. A wide variety of exercises in the workbook can be used for both class work and homework.
o Encourage children to recite times table in Books 3 and 4 of this series.

- The children are expected to:
o Listen to the recording of the text and new words.
o Make a conversation or retell the story by looking at the pictures in each text.
o Read and recite the rhyme in each lesson.
o Trace the new characters in each lesson and memorize radicals and simple characters.

Yamin Ma
August 2014, Hong Kong

Author's acknowledgements

The author is grateful to all the following people who have helped to bring the books to publication:

- 侯明女士 who trusted my ability and expertise in the field of Chinese language teaching and learning, and offered support during the period of publication.
- Editors, 李玥展、尚小萌，graphic designers, 钟文君、周敏 for their meticulous work. I am greatly indebted to them.
- Art consultants, Arthur Y. Wang and Annie Wang, whose guidance, creativity and insight have made the books beautiful and attractive. Artists, 陆颖、万琼、龚华伟、于霆、张乐民、吴蓉蓉，Arthur Y. Wang and Annie Wang for their artistic ability in the illustrations.
- Ms. Xinying Li who gave valuable suggestions in the design of this series, contributed exercises and rhymes and proofread the manuscripts. I am grateful for her encouragement and support for my work.
- Ms. Xinying Li, 胡廉轲、马绘淋、钟心悦 who recorded the voice tracks that accompany this series.
- Finally, members of my family who have always supported and encouraged me to pursue my research and work on these books. Without their continual and generous support, I would not have had the energy and time to accomplish this project.

CONTENTS

tā men dōu gōng zuò
他们都工作

1

wǒ yǒu wài gōng　　wài pó　　tā men měi tiān dōu zài jiā
我有外公、外婆。他们每天都在家

gōng zuò
"工作"。

2

wǒ yǒu yí ge jiù jiu hé
我有一个舅舅和

yí ge ā yí　　tā men
一个阿姨。他们

dōu gōng zuò
都工作。

3 ā yí jiā yǒu yì zhī xiǎo bái tù　tā měi tiān dōu zài
阿姨家有一只小白兔。它每天都在
jiā chī chi hē hē　　tā bù　gōng zuò
家吃吃喝喝。它不"工作"。

New words: 🎧 2

1. ^{wài} 外 related through one's mother's, sister's or daughter's side of the family

2. ^{gōng} 公 an elderly man
   ^{wài gōng} 外公 mother's father

3. ^{pó} 婆 an elderly woman
   ^{wài pó} 外婆 mother's mother

4. ^{zuò} 作 do 　^{gōng zuò} 工作 work

5. ^{jiù jiu} 舅（舅） mother's brother

6. ^ā 阿 a prefix

7. ^{yí} 姨 aunt
   ^{ā yí} 阿姨 mother's sister

8. ^{zhī} 只 a measure word (used for animals)

9. ^{tā} 它 it

10. ^{chī chi hē hē} 吃吃喝喝 eat and drink and be merry

2

1 Say the family members in Chinese.

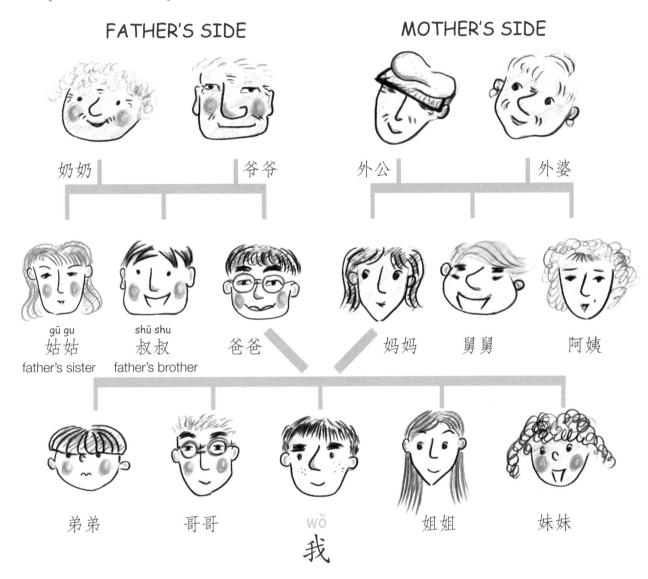

FATHER'S SIDE

MOTHER'S SIDE

奶奶　　　　爷爷　　　　外公　　　　外婆

gū gu
姑姑
father's sister

shū shu
叔叔
father's brother

爸爸　　　妈妈　　舅舅　　阿姨

弟弟　　　哥哥　　　wǒ
　　　　　　　　　我　　　姐姐　　　妹妹

2 Project.

Draw your family tree and introduce every family member to the class.

EXAMPLE:

zhè shì wǒ yé ye　　zhè shì wǒ nǎi nai
这是我爷爷。这是我奶奶。……

3 Recite the times table on page 120.

yī yī dé yī
一一得一。
1 x 1 = 1

4 Look, read and match.

yì zhī māo
5 a) 一只猫

sān zhī gǒu
b) 三只狗

yí ge dòng wù yuán
c) 一个动物园

wǔ tiáo yú
d) 五条鱼

liǎng ge jī dàn
e) 两个鸡蛋

yí ge rén
f) 一个人

yì zhī shǒu
g) 一只手

yì tiáo kù zi
h) 一条裤子

wǔ ge nán shēng
i) 五个男生

4

5 Ask your classmates the questions.

nǐ wài gōng jiào shén me míng zi   tā zhù zài nǎr
1) 你外公叫什么名字？他住在哪儿？

nǐ yǒu jǐ ge jiù jiu
2) 你有几个舅舅？

nǐ jiā de diàn huà hào mǎ shì duō shao
3) 你家的电话号码是多少？

nǐ shì nǎ guó rén   nǐ huì shuō shén me yǔ yán
4) 你是哪国人？你会说什么语言？

nǐ zǎo shang jǐ diǎn shàng xué   nǐ měi tiān zěn me shàng xué
5) 你早上几点上学？你每天怎么上学？

nǐ bà ba gōng zuò ma   tā měi tiān zěn me shàng bān
6) 你爸爸工作吗？他每天怎么上班？

6 Listen, clap and practise. 🎧 3

wài gōng   wài pó bù gōng zuò
外公、外婆不工作，
jiù jiu   ā yí dōu gōng zuò
舅舅、阿姨都工作。
xiǎo bái tù ya xiǎo bái tù
小白兔呀小白兔，
chī chi hē hē bù gōng zuò
吃吃喝喝不工作。

7 Learn the characters.

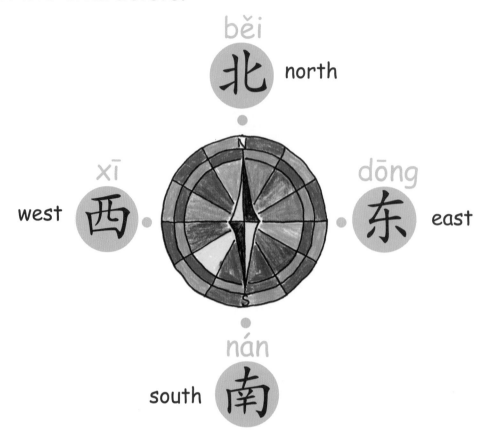

běi
北 north

xī
西 west

dōng
东 east

nán
南 south

8 Listen to the recording. Tick what is correct and cross what is incorrect. 🎧 4

9 Game.

> **INSTRUCTIONS:**
>
> **1** The whole class may join the game.
>
> **2** The teacher starts a sentence and a student is asked to complete it.
>
> **3** Those who cannot complete the sentences, or say the wrong words are out of the game.

EXAMPLE:

lǎo shī　　wǒ xǐ huan
老师：我喜欢

xué shēng　yǎng chǒng wù
学 生：养 宠 物

10 Speaking practice.

EXAMPLE:

wǒ jiā yǒu liù kǒu rén　　yé
我家有六口人：爷

ye　　nǎi nai　　　bà ba　　　mā ma
爷、奶奶、爸爸、妈妈、

gē ge hé wǒ　　　wǒ yé ye jīn nián
哥哥和我。我爷爷今年

liù shí qī suì　　　tā shǔ
六十七岁。他属……

IT IS YOUR TURN!

Introduce your family members to the class.

dì èr kè
第二课
sān ge péng you
三个朋友

5

wáng tiān yī yǒu sān ge péng you
1 王天一有三个朋友。

2

hú xiǎo guāng xiàn zài zhù zài běi
胡小光现在住在北
jīng　　　　tā de gè zi ǎi ǎi
京。他的个子矮矮
de　　 tóu fa duǎn duǎn de
的，头发短短的。

8

③

huáng xiǎo hóng xiàn zài
黄 小 红 现 在
zhù zài shàng hǎi
住 在 上 海。
tā de gè zi gāo
她 的 个 子 高
gāo de tuǐ cháng
高 的 ， 腿 长
cháng de
长 的。

④

tián bīng yě zhù zài shàng hǎi   tā de gè zi bù gāo
田 冰 也 住 在 上 海。她 的 个 子 不 高。
tā de tóu fa juǎn juǎn de   tā dài yǎn jìng
她 的 头 发 卷 卷 的。她 戴 眼 镜。

péng
① 朋 friend

yǒu
② 友 friend

péng you
朋友 friend

hú
③ 胡 a surname

xiǎo guāng
④ 小光 a given name

běi jīng
⑤ 北京 Beijing

gè zi
⑥ 个子 height; stature

ǎi
⑦ 矮 short (of stature)

duǎn
⑧ 短 short (in length)

huáng
⑨ 黄 a surname

xiǎo hóng
⑩ 小红 a given name

shàng hǎi
⑪ 上海 Shanghai

tuǐ
⑫ 腿 leg

tián
⑬ 田 a surname

bīng
⑭ 冰 a given name

juǎn
⑮ 卷 curl

dài
⑯ 戴 wear (accessories)

jìng
⑰ 镜 lens

yǎn jìng
眼镜 glasses

1 Look, read and match.

tā hěn pàng
5 a) 他很胖。

tā hěn gāo
☐ b) 他很高。

tā hěn shòu
☐ c) 她很瘦。

tā hěn ǎi
☐ d) 他很矮。

tā de tóu fa hěn cháng
☐ e) 她的头发很长。

tā de liǎn yuán yuán de
☐ f) 他的脸圆圆的。

2 Learn the characters.

zhí

直

straight

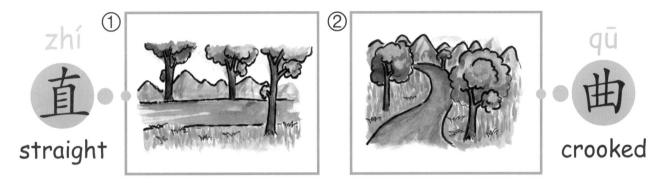

qū

曲

crooked

3 Recite the times table on page 120.

yī èr dé èr   èr èr dé sì
一二得二，二二得四。
1x2=2   2x2=4

4 Ask your classmates the questions.

nǐ mā ma gōng zuò ma
1) 你妈妈工作吗？

nǐ mā ma dài yǎn jìng ma
2) 你妈妈戴眼镜吗？

tā de tóu fa shén me yán sè
3) 她的头发什么颜色？

tā de gè zi gāo ma
4) 她的个子高吗？

5 Listen, clap and practise. 🎧7

wǒ yǒu liǎng ge hǎo péng you
我有两个好朋友：

yí ge gè zi gāo   yí ge gè zi ǎi
一个个子高，一个个子矮，

yí ge tóu fa cháng   yí ge tóu fa duǎn
一个头发长，一个头发短，

yí ge zài běi jīng   yí ge zài shàng hǎi
一个在北京，一个在上海。

6 Game.

INSTRUCTIONS:

1   The whole class may join the game.

2   One student comes to the front and imitates an animal. The rest of the class guesses what the animal is.

7 Listen to the recording. Tick what is correct and cross what is incorrect. 🎧8

8 Speaking practice.

EXAMPLE:

tā hěn ǎi

他很矮。

Useful words:

- a 高 gāo
- b 矮 ǎi
- c 直 zhí
- d 卷 juǎn
- e 长 cháng
- f 短 duǎn
- g 胖 pàng
- h 瘦 shòu

9 Project.

Draw your favourite cartoon character and describe him/her to the class.

dì sān kè
第三课
tā chuān lián yī qún
她穿连衣裙

1

huáng xiǎo hóng jīn tiān chuān lián yī qún
黄 小 红 今天 穿 连衣裙，
jiǎo shang chuān wà zi hé pí xié
脚 上 穿袜子和皮鞋。

2

tián bīng jīn tiān chuān   xù
田 冰 今天 穿 T 恤
shān hé duǎn kù   jiǎo shang
衫 和 短 裤， 脚 上
chuān liáng xié
穿 凉鞋。

New words:  10

❶ lián
连 link

lián yī qún
连衣裙 dress

xù shān
❹ T 恤衫 T-shirt

❷ wà
袜 socks

wà zi
袜子 socks

duǎn kù
❺ 短裤 shorts

❸ xié
鞋 shoe

pí xié
皮鞋 leather shoes

liáng
❻ 凉 cool

liáng xié
凉鞋 sandals

1 Look, read and match.

pí xié
1 a) 皮鞋

cháng kù
b) 长裤

liángxié
c) 凉鞋

xù shān
d) T 恤衫

lián yī qún
e) 连衣裙

duǎn kù
f) 短裤

wà zi
g) 袜子

2 Learn the characters.

yún
云
cloud

shí
石
stone

3 Game.

INSTRUCTIONS:

1 The whole class may join the game.

2 The teacher says one item in Chinese, and the students are expected to say its colour(s).

红色

苹果

黄色

         lǎo shī   píng guǒ
EXAMPLE: 老师：苹果

       xué shēng   hóng sè   xué shēng   huáng sè
        学 生 1：红色   学 生 2：黄色

4 Say the colours in Chinese.

         lán sè
EXAMPLE: 蓝色

5 Ask your partner the questions.

nǐ jiào shén me míng zi   nǐ shǔ shén me
1) 你叫什么名字？你属什么？

nǐ jīn nián jǐ suì   nǐ shàng jǐ nián jí
2) 你今年几岁？你上几年级？

nǐ xǐ huan shén me yán sè   nǐ xǐ huan chuān   xù shān ma
3) 你喜欢 什么颜色？你喜欢 穿 T 恤衫吗？

nǐ xǐ huan chī shén me   nǐ xǐ huan hē shén me
4) 你喜欢吃什么？你喜欢喝什么？

nǐ yǒu shén me ài hào
5) 你有什么爱好？

6 Write the characters.

① ② ③ ⑤ ④ ⑦ ⑧ ⑥

7 Listen to the recording. Tick what is correct and cross what is incorrect. 🎧11

8 Recite the times table on page 120.

yī sān dé sān   sān sān dé jiǔ
一三得三，……三三得九。
1×3=3   3×3=9

9 Listen, clap and practise. 🎧12

hóng xù pèi lù duǎn kù
红 T恤配绿短裤，

nǐ shuō hǎo kàn bù hǎo kàn
你说好看不好看？

hēi wà zi pèi bái liáng xié
黑袜子配白凉鞋，

nǐ shuō hǎo kàn bù hǎo kàn
你说好看不好看？

10 Speaking practice.

EXAMPLE:

zhè shì wǒ jiù jiu   tā jīn nián
这是我舅舅。他今年

sān shí suì   shǔ hǔ   tā xiàn zài zhù
三十岁，属虎。他现在住

zài měi guó   tā yǒu yí ge ér zi hé
在美国。他有一个儿子和
son

yí ge nǚ ér
一个女儿。……
daughter

IT IS YOUR TURN! Show a photo of your relatives. Introduce them to the class.

11 Project.

Design five types of shoes and tell the class the names and colours of the shoes.

dì di chuān dà yī
弟弟穿大衣

1
xiǎo guāng jīn tiān chuān máo yī
小光今天穿毛衣、
wài tào hé niú zǎi kù
外套和牛仔裤。

2
tā dì di jīn tiān chuān
他弟弟今天穿
dà yī   dài mào zi
大衣，戴帽子、
wéi jīn hé shǒu tào
围巾和手套。

3
nǐ jīn tiān chuān shén me yī fu
你今天穿什么衣服？

New words: 14

① máo 毛 wool máo yī 毛衣 sweater

② wài 外 outer

③ tào 套 cover

wài tào 外套 coat shǒu tào 手套 gloves

④ zǎi 仔 a young man

niú zǎi 牛仔 cowboy

niú zǎi kù 牛仔裤 jeans

⑤ dà yī 大衣 overcoat

⑥ mào 帽 hat mào zi 帽子 hat

⑦ wéi 围 enclose

⑧ jīn 巾 piece of cloth wéi jīn 围巾 scarf

⑨ yī fu 衣服 clothes

1 Look, read and match.

①

②

③

④

⑤

⑥

⑦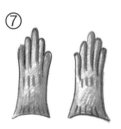

⑧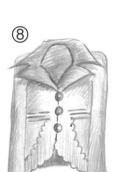

5 a) máo yī 毛衣

□ b) wài tào 外套

□ c) dà yī 大衣

□ d) niú zǎi kù 牛仔裤

□ e) liáng xié 凉鞋

□ f) shǒu tào 手套

□ g) mào zi 帽子

□ h) wéi jīn 围巾

2 Learn the characters.

fēng ①
风
wind

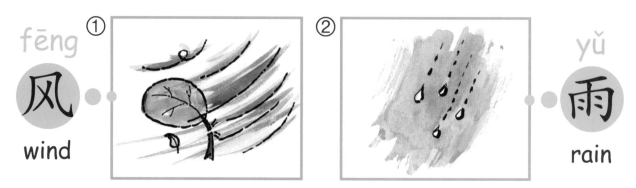

②

yǔ
雨
rain

3 Listen, clap and practise. 🎧15

chuān máo yī　　jiā wài tào
穿 毛衣，加外套，
zài chuān yì tiáo niú zǎi kù
再穿一条牛仔裤。
dài mào zi　　jiā wéi jīn
戴帽子，加围巾，
zài dài yí fù pí shǒu tào
再戴一副皮手套。

4 Recite the times table on page 120.

yī sān dé sān　　　sān sān dé jiǔ
一三得三，……三三得九。
1 x 3 = 3　　　　　　3 x 3 = 9

22

5 Colour in the pictures and describe them in Chinese.

EXAMPLE:

fěn sè de   xù shān
粉色的 T恤衫

6 Listen to the recording. Tick what is correct and cross what is incorrect. 🎧16

1 ✕

2

3

4

5

6

7 Describe the pictures in Chinese.

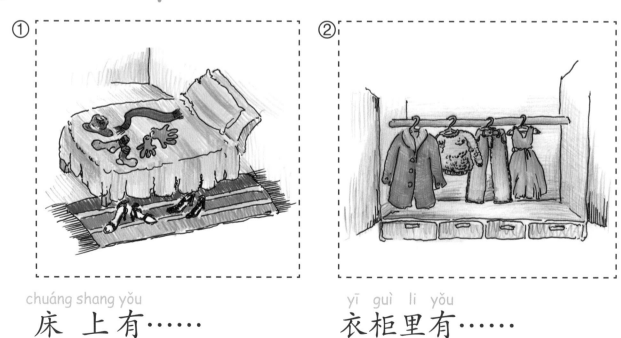

①

chuáng shang yǒu

床 上 有……

②

yī guì li yǒu

衣柜里有……

8 Describe the pictures in Chinese.

EXAMPLE:

tā chuān niú zǎi kù
他 穿 牛仔裤。

① 围巾

② 帽子

③ 手套

④ 毛衣

⑤ 大衣

⑥ 连衣裙

⑦ 长裤

⑧ 凉鞋

⑨ 皮鞋

⑩ 眼镜

9 Game.

INSTRUCTIONS:

1 The whole class may join the game.

2 One student describes one of his classmates and the rest tries to guess who he/she is.

EXAMPLE:

tā shì nán shēng　　tā de gè zi gāo gāo de　　liǎn cháng cháng de
他是男生。他的个子高高的，脸长长的。

tā dài yǎn jìng
他戴眼镜。

10 Ask your partner the questions.

jīn tiān jǐ yuè jǐ hào　　jīn tiān xīng qī jǐ
1) 今天几月几号？今天星期几？

nǐ měi tiān jǐ diǎn qù shàng xué　　xiàn zài jǐ diǎn
2) 你每天几点去上学？现在几点？

nǐ jīn tiān chuān shén me yī fu
3) 你今天穿什么衣服？

nǐ de hàn yǔ lǎo shī jīn tiān chuān shén me yī fu
4) 你的汉语老师今天穿什么衣服？

11 Speaking practice.

EXAMPLE:

tā chuān wài tào cháng kù hé pí xié
她穿外套、长裤和皮鞋。

tā dài wéi jīn hé shǒu tào
她戴围巾和手套。

① ② ③

12 Project.

Design five types of clothes for the fashion show and tell the class the names and colours of the clothes.

dì wǔ kè
第五课
zuó tiān xià xuě le
昨天下雪了

🎧 17

☀ **1**
zuó tiān xià xuě le　　hěn lěng
昨天下雪了，很冷。

xiǎo xuě rén hěn gāo xìng
小雪人很高兴。

☀ **2**
jīn tiān guā dà fēng　　xià
今天刮大风，下

dà yǔ　　xiǎo xuě rén de
大雨。小雪人的

shēn tǐ kāi shǐ huà le
身体开始化了。

3 míng tiān duō yún，bù lěng
明 天 多 云，不 冷。

xiǎo xuě rén bú jiàn le
小 雪 人 不 见 了！

New words: 🎧18

1 zuó
昨 yesterday　　zuó tiān 昨天 yesterday

2 xià
下 fall (of rain, snow, etc.)

3 xuě
雪 snow　　xià xuě 下雪 snow

xuě rén
雪人 snowman

4 lěng
冷 cold

5 xìng
兴 excitement　　gāo xìng 高兴 happy

6 guā
刮 blow (of wind)

guā fēng
刮风 wind blows

7 yǔ
雨 rain　　xià yǔ 下雨 rain

8 shēn
身 body　　shēn tǐ 身体 body

9 kāi
开 start

10 shǐ
始 start　　kāi shǐ 开始 start

11 huà
化 melt

12 míng
明 next　　míng tiān 明天 tomorrow

13 yún
云 cloud　　duō yún 多云 cloudy

14 jiàn
见 see

1 Look, read and match.

3 a) 今天下雪，很冷。
jīn tiān xià xuě　hěn lěng

□ b) 今天多云。
jīn tiān duō yún

□ c) 今天下小雨，不冷。
jīn tiān xià xiǎo yǔ　bù lěng

□ d) 今天下大雨。
jīn tiān xià dà yǔ

2 Say the numbers as fast as you can.

1) 十一 ·············· 二十
shí yī　　　　　　 èr shí

2) 三十五 ··········· 五十
sān shí wǔ　　　　wǔ shí

3) 六十六 ········· 七十四
liù shí liù　　　qī shí sì

4) 八十 ·············· 一百
bā shí　　　　　　yì bǎi

3 Learn the characters.

lì

立

stand

① ②

shān

山

mountain

4 Listen to the recording. Tick what is correct and cross what is incorrect. 🎧19

5 Colour in the pictures and describe each of them.

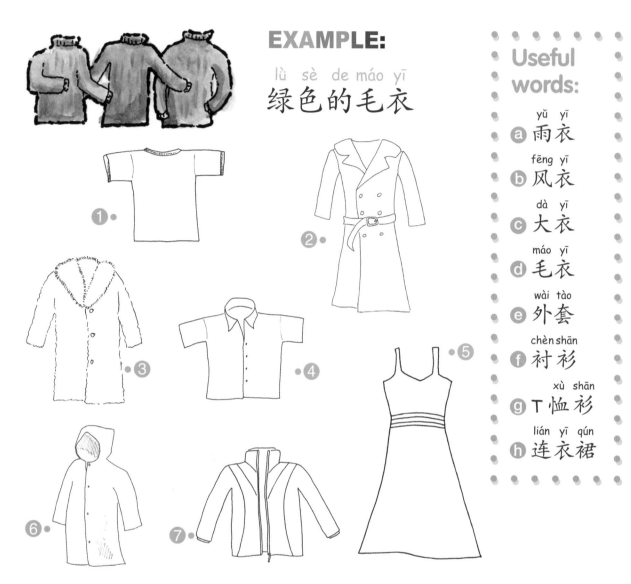

EXAMPLE:

lǜ sè de máo yī
绿色的毛衣

Useful words:

yǔ yī
ⓐ 雨衣

fēng yī
ⓑ 风衣

dà yī
ⓒ 大衣

máo yī
ⓓ 毛衣

wài tào
ⓔ 外套

chèn shān
ⓕ 衬衫

xù shān
ⓖ T恤衫

lián yī qún
ⓗ 连衣裙

6 Recite the times table on page 120.

yī sì dé sì   sì sì shí liù
一四得四，……四四十六。
1 × 4 = 4   4 × 4 = 16

7 Project.

Draw a picture with mountains, trees, rivers, little houses and animals. Describe the picture to the class.

EXAMPLE:
zhè shì shān　zhè shì mǎ
这是山。这是马。……

8 look, read and match.

① 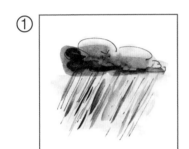　④

② 　⑤

③ 　⑥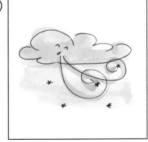

2	a)	duō yún 多云
	b)	xià dà yǔ 下大雨
	c)	guā dà fēng 刮大风
	d)	guā fēng　xià xuě 刮风、下雪
	e)	xià xiǎo yǔ 下小雨
	f)	xià dà xuě 下大雪

9 Say the numbers as fast as you can.

èr　sì　èr shí liù
1) 二、四……二十六

yī　sān　èr shí wǔ
2) 一、三……二十五

33

10 Game.

                lǎo shī
EXAMPLE: 老师： sun

        xué shēng   rì
        学生：日

11 Listen, clap and practise. 🎧20

xià xuě tiān   tiān qì lěng
下雪天，天气冷，

xiǎo xuě rén zhēn gāo xìng
小雪人真高兴。

xià yǔ tiān   xuě huì huà
下雨天，雪会化，

xiǎo xuě rén yǒu diǎnr pà
小雪人有点儿怕。

tài yáng chū   tiān qì nuǎn
太阳出，天气暖，

xiǎo xuě rén shuō zài jiàn
小雪人说再见。

34

12 Say in Chinese.

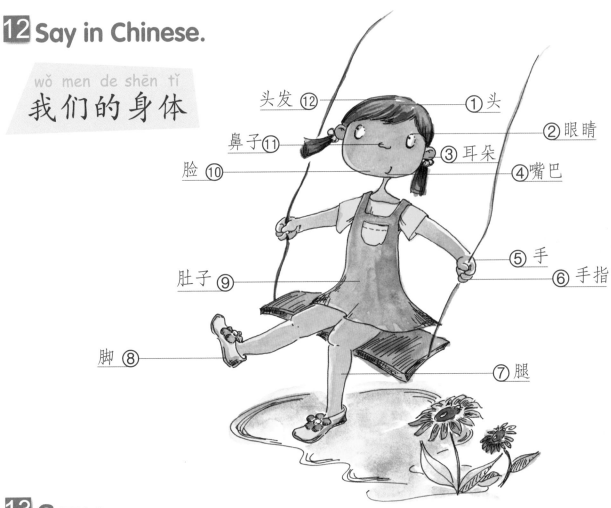

wǒ men de shēn tǐ
我们的身体

头发 ⑫
鼻子 ⑪
脸 ⑩
肚子 ⑨
脚 ⑧

① 头
② 眼睛
③ 耳朵
④ 嘴巴
⑤ 手
⑥ 手指
⑦ 腿

13 Game.

March 2

三月 二号

3月 2号

INSTRUCTIONS:

1 The whole class may join the game.

2 The teacher says the month and date in English, and the students are expected to say them in Chinese.

lǎo shī
EXAMPLE: 老师： March 2

xué shēng   sān yuè èr hào
学生：三月二号

dì liù kè
第六课

xiǎo hóu zi
小猴子

①

shàng wǔ duō yún　　bú tài rè　　hóu bà
上午多云，不太热。猴爸

ba jiào xiǎo hóu zi qù gàn huór　　xiǎo
爸叫小猴子去干活儿。小

hóu zi shuō　　zhè zhǒng tiān qì wǒ bú
猴子说："这种天气我不

qù gàn huór
去干活儿。"

2

zhōng wǔ tiān qíng le
中午天晴了，
hěn rè　　　hóu bà ba
很热。猴爸爸
jiào xiǎo hóu　zi　qù
叫小猴子去
gàn huór　　xiǎo hóu zi shuō　　　zhè zhǒng tiān qì wǒ bú qù gàn
干活儿。小猴子说："这种天气我不去干
huór
活儿。"

3

hóu bà ba wèn xiǎo
猴爸爸问小
hóu zi　　　shén me
猴子："什么
tiān qì nǐ qù gàn
天气你去干
huór　　　　　xiǎo
活儿？"小
hóu zi shuō　　　xià xuě tiān wǒ qù gàn huór
猴子说："下雪天我去干活儿。"

1. shàng wǔ 上午 morning
2. tài 太 quite; too
3. jiào 叫 ask
4. gàn 干 do; work
5. huó 活 work　huór 活儿 work

6. zhǒng 种 kind; type
7. qì 气 weather　tiān qì 天气 weather
8. zhōng wǔ 中午 noon
9. qíng 晴 fine; sunny
10. wèn 问 ask

1 Look, read and match.

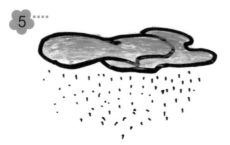

3 a) xià dà yǔ 下大雨

b) xià xuě 下雪

c) guā dà fēng 刮大风

d) duō yún 多云

e) qíng 晴

f) xià xiǎo yǔ 下小雨

38

2 Learn the characters.

hé
禾
seedling

①

②

zhú
竹
bamboo

3 Describe what they wear in Chinese.

EXAMPLE:

tā chuān lù sè de dà yī　zōng sè de
她穿绿色的大衣、棕色的
cháng kù hé hēi sè de pí xié
长裤和黑色的皮鞋。

①  ②  ③

4 Listen to the recording. Tick what is correct and cross what is incorrect. 🎧23

5 Say the time in Chinese.

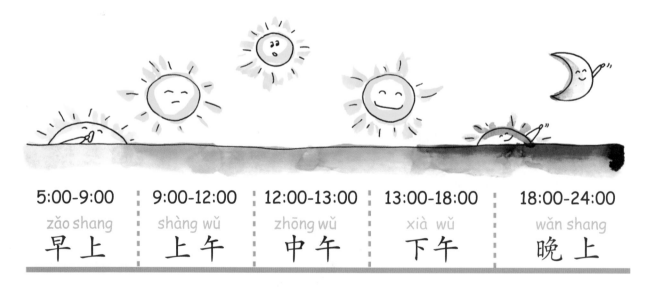

5:00-9:00	9:00-12:00	12:00-13:00	13:00-18:00	18:00-24:00
zǎo shang	shàng wǔ	zhōng wǔ	xià wǔ	wǎn shang
早上	上午	中午	下午	晚上

❶ 6：00 早上六点　　❷ 10：00　　❸ 12：00

❹ 14：00　　❺ 18：00　　❻ 20：00

6 Recite the times table on page 120.

yī sì dé sì   sì sì shí liù
一四得四，……四四十六。
1 × 4 = 4   4 × 4 = 16

7 Speaking practice.

EXAMPLE:

tā zǎo shang liù diǎn sì shí wǔ qǐ chuáng
他早上六点四十五起床。

6:45

qǐ chuáng
起床

8:00 ❶

qù shàng xué
去上学

12:30 ❷

chī wǔ fàn
吃午饭

15:15 ❸

fàng xué huí jiā
放学回家

19:00 ❹

chī wǎn fàn
吃晚饭

21:00 ❺

shuì jiào
睡觉

8 Game.

INSTRUCTIONS:

1 The whole class may join the game.

2 The teacher says the time in English, and the students are expected to say it in Chinese.

EXAMPLE:

lǎo shī
老师：10:00 a.m.

xué shēng shàng wǔ shí diǎn
学生：上午十点

9 Listen, clap and practise. 🎧24

xiǎo hóu zi   zhēn lǎn duò
小猴子，真懒惰，

yì xīn xiǎng wánr   bú gàn huór
一心 想玩儿不干活儿。

duō yún tiān bú gàn huór
多云天不干活儿，

dà qíng tiān bú gàn huór
大晴天不干活儿。

shén me tiān tā gàn huór
什么天它干活儿？

xià xuě tiān tā gàn huór
下雪天它干活儿。

42

10 Look, read and match.

3 a) shàng shān 上 山

□ b) xià shān 下 山

□ c) shàng chē 上 车

□ d) xià chē 下 车

□ e) zuò chuán 坐 船

□ f) máo bǐ 毛 笔

□ g) bāo zi 包 子

□ h) fēng chē 风 车

□ i) zuò chē 坐 车

□ j) chèn shān 衬 衫

11 Project.

Write a story about an animal of your choice and illustrate it.
Tell the story to the class.

dì qī kè
第七课

wǒ yǒu wǔ jié kè
我有五节课

星期二
汉语
英语
科学
历史

美术
英语
音乐
汉语
体育
星期一

星期四
汉语
电脑
历史

星期三
数学
电脑
音乐
英语

星期五
地理
数学
英语

1

wǒ jīn tiān shàng le
我今天上了
wǔ jié kè
五节课。

2
dì yī jié shì měi shù kè
第一节是美术课。

3
dì èr jié shì yīng yǔ kè
第二节是英语课。

4

dì sān jié shì yīn yuè kè
第三节是音乐课。

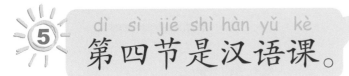

5

dì sì jié shì hàn yǔ kè
第四节是汉语课。

6

dì wǔ jié shì tǐ yù kè
第五节是体育课。

7

yì tiān xià lai　　nǐ zhī dao
一天下来，你知道
wǒ duō lèi ma
我多累吗？

New words: 🎧26

1. **节** jié — a measure word (used for lessons)
2. **课** kè — lesson; class   **上课** shàng kè — attend a class
3. **第** dì — a prefix (used to indicate ordinal numbers)
4. **美** měi — beautiful
5. **术** shù — art   **美术** měi shù — fine arts
6. **音** yīn — sound
7. **乐** yuè — music   **音乐** yīn yuè — music
8. **下来** xià lai — indicate from start to finish
9. **知** zhī — know
10. **道** dào — reason   **知道** zhī dao — know
11. **多** duō — indicate a certain degree or great extent
12. **累** lèi — tired

1 Look, read and match.

shù xué
2 a) 数学

yīng yǔ
☐ b) 英语

kē xué
☐ c) 科学

hàn yǔ
☐ d) 汉语

měi shù
☐ e) 美术

yīn yuè
☐ f) 音乐

tǐ yù
☐ g) 体育

2 Learn the characters.

wáng ①
王
king

② yù
玉
jade

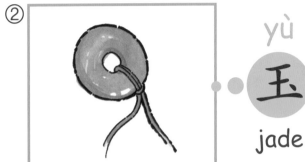

3 Game.

日语

英语、
汉语

> **INSTRUCTIONS:**
>
> **1** The whole class may join the game.
>
> **2** The teacher names one item of a particular category, and the students add more to it.
>
> **3** Those who do not add any or add wrong items are out of the game.

lǎo shī   rì yǔ
EXAMPLE: 老师：日语

xué shēng yīng yǔ   hàn yǔ
学 生：英语、汉语……

4 Recite the times table on page 120.

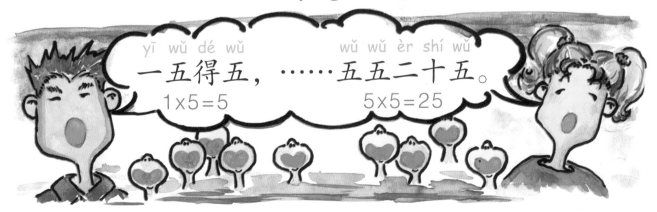

yī wǔ dé wǔ   wǔ wǔ èr shí wǔ
一五得五，……五五二十五。
1x5=5   5x5=25

5 Listen, clap and practise. 🎧27

wǒ jīn tiān yǒu wǔ jié kè
我今天有五节课：

yīng yǔ kè　　měi shù kè
英语课、美术课、

hàn yǔ kè　　yīn yuè kè
汉语课、音乐课，

zuì hòu yì jié shì tǐ yù kè
最后一节是体育课。

6 Listen to the recording. Tick what is correct and cross what is incorrect. 🎧28

①  ✓

②

③

④

7 Project.

Draw your weekly timetable and decorate it.

8 Ask your classmates the questions.

nǐ xǐ huan shàng yīng yǔ kè ma
EXAMPLE: A: 你喜欢 上 英 语课吗?

xǐ huan   bù xǐ huan
B: 喜欢。（不喜欢。）

Subjects	xǐ huan 喜欢	bù xǐ huan 不喜欢	Subjects	xǐ huan 喜欢	bù xǐ huan 不喜欢
yīng yǔ ❶ 英语	正	丅	diàn nǎo ❺ 电脑		
shù xué ❷ 数学			měi shù ❻ 美术		
hàn yǔ ❸ 汉语			yīn yuè ❼ 音乐		
kē xué ❹ 科学			tǐ yù ❽ 体育		

9 Speaking practice.

EXAMPLE:

wǒ jiào máo sì hǎi   wǒ jīn nián
我叫毛四海。我今年

jiǔ suì   shàng wǔ nián jí   wǒ xǐ huan
九岁，上五年级。我喜欢

shàng kē xué kè   wǒ xǐ huan wǒ de
上 科学课。我喜欢我的

kē xué lǎo shī
科学老师。……

dì bā kè
第八课

wǒ de shū bāo
我的书包

wǒ de shū bāo li yǒu hěn duō dōng xi   yǒu
我的书包里有很多东西，有：

hàn yǔ kè běn
汉语课本、

liàn xí běn
练习本、

rì jì běn
日记本、

cǎi sè bǐ
彩色笔、

juǎn bǐ dāo
卷笔刀、

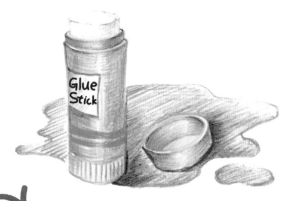

jiǎn dāo hé
剪刀和

gù tǐ jiāo
固体胶。

hái yǒu wǒ de xiǎo gǒu
② 还有我的小狗，

wāng wāng wāng
"汪！汪！汪！"

① dōng xi
东西 thing

② kè běn
课本 textbook

③ liàn
练 practise

④ xí
习 study   liàn xí
练习 practise

liàn xí běn
练习本 exercise book

⑤ jì
记 record   rì jì
日记 diary

rì jì běn
日记本 diary (book)

⑥ juǎn bǐ dāo
卷笔刀 pencil sharpener

⑦ jiǎn
剪 scissors; cut

jiǎn dāo
剪刀 scissors

⑧ gù
固 hard; solid

⑨ jiāo
胶 glue   gù tǐ jiāo
固体胶 glue stick

⑩ wāng
汪 bark

1 Look, read and match.

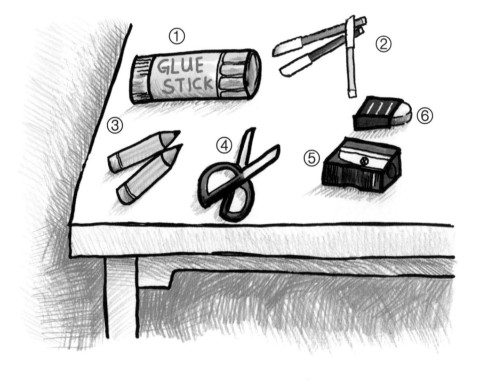

2 a) cǎi sè bǐ
彩色笔

b) juǎn bǐ dāo
卷笔刀

c) qiān bǐ
铅笔

d) xiàng pí
橡皮

e) jiǎn dāo
剪刀

f) gù tǐ jiāo
固体胶

2 Ask your partner the questions.

nǐ men xué xiào yǒu jǐ jiān jiào shì
1) 你们学校有几间教室？

nǐ men xué xiào yǒu diàn nǎo shì ma   yǒu jǐ jiān
2) 你们学校有电脑室吗？ 有几间？

nǐ men xué xiào yǒu cāo chǎng ma   yǒu jǐ ge
3) 你们学校有操场吗？ 有几个？

nǐ men xué xiào yǒu lǐ táng ma   lǐ táng dà ma
4) 你们学校有礼堂吗？ 礼堂大吗？

nǐ men xué xiào yǒu tǐ yù guǎn ma   tǐ yù guǎn dà ma
5) 你们学校有体育馆吗？ 体育馆大吗？

nǐ men xué xiào yǒu tú shū guǎn ma   tú shū guǎn dà ma
6) 你们学校有图书馆吗？ 图书馆大吗？

3 Learn the characters.

dīng

丁

man

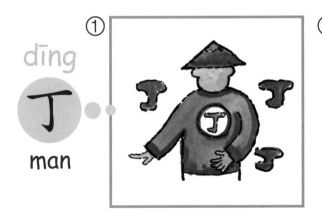

bù

不

no; not

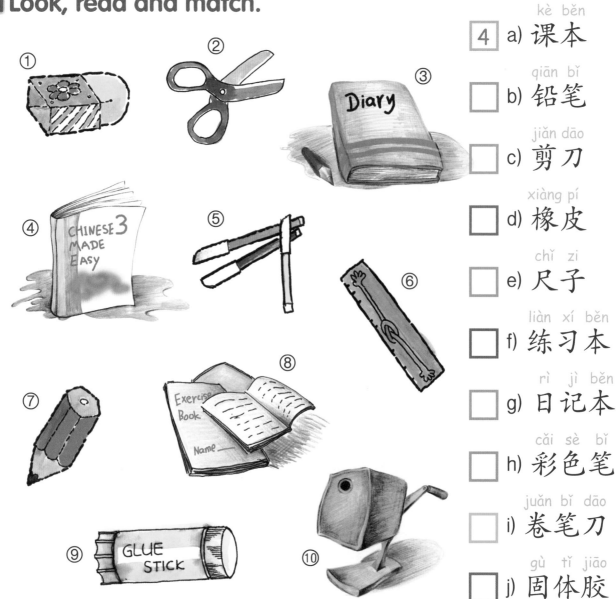

4 a) 课本 *kè běn*

b) 铅笔 *qiān bǐ*

c) 剪刀 *jiǎn dāo*

d) 橡皮 *xiàng pí*

e) 尺子 *chǐ zi*

f) 练习本 *liàn xí běn*

g) 日记本 *rì jì běn*

h) 彩色笔 *cǎi sè bǐ*

i) 卷笔刀 *juǎn bǐ dāo*

j) 固体胶 *gù tǐ jiāo*

5 Recite the times table on page 120.

一五得五，……五五二十五。
yī wǔ dé wǔ   *wǔ wǔ èr shí wǔ*
1x5=5   5x5=25

54

6 Listen to the recording. Tick what is correct and cross what is incorrect. 🎧31

7 Game.

wài
EXAMPLE: 外套

INSTRUCTIONS:

1 The class is divided into small groups.

2 Each group is asked to add one character to form a word. The students may write pinyin if they cannot write characters.

3 The group making more correct words than any other groups wins the game.

8 Speaking practice.

EXAMPLE:

dì shang yǒu zú qiú   shū hé qiān bǐ
地上有足球、书和铅笔。

chuáng shang yǒu
1 床 上 有……

yǐ zi shang yǒu
2 椅子上 有……

3 ……

shū bāo li yǒu
书 包里 有……

4 ……

wén jù hé li yǒu
文具盒里有……

dòng wù yuán li yǒu
5 动 物 园里有……

6 ……

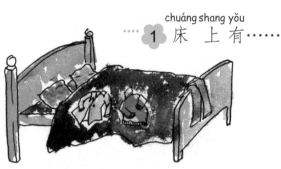

zhuō shang yǒu
桌 上 有……

56

9 Game.

INSTRUCTIONS:

1 The class is divided into small groups.

2 The teacher whispers a word to the first member of the group.
The word is whispered along to the last member who is expected to repeat that word correctly.

3 If the last student does not repeat the word correctly, this group is out of the game.

10 Listen, clap and practise. 32

shū bāo li   dōng xi duō
书包里，东西多：

rì jì běn   juǎn bǐ dāo
日记本、卷笔刀、

liàn xí běn   cǎi sè bǐ
练习本、彩色笔、

jiǎn dāo   kè běn   gù tǐ jiāo
剪刀、课本、固体胶。

11 Project.

Design a school on another planet in space. Describe the school to your class.

xiǎo gǒu xué yàng
小狗学样

1 xiǎo gǒu xǐ huan xué
小狗喜欢学

wǒ de yàng
我的样。

2 wǒ shuā yá   tā yě shuā yá
我刷牙，它也刷牙。

3 wǒ zuò zuò yè   tā yě
我做作业，它也

zuò zuò yè
做作业。

4 wǒ wánr diàn nǎo yóu xì　　tā
我玩儿电脑游戏，它
yě wánr diàn nǎo yóu xì
也玩儿电脑游戏。

5 wǒ shàng wǎng　　tā　yě shàng wǎng
我上网，它也上网。

6 wǒ pǎo bù　　tā　yě pǎo bù
我跑步，它也跑步。

7 tā　xǐ huan jiào　　　wāng
它喜欢叫："汪！
wāng　wāng　　　wǒ bù xué
汪！汪！"我不学
tā　de yàng
它的样。

New words: 🎧34

1. yàng 样 model
2. shuā 刷 brush　shuā yá 刷牙 brush teeth
3. zuò 做 do
4. yè 业 school work　zuò yè 作业 homework
5. wán 玩 play
6. yóu 游 tour
7. xì 戏 game　yóu xì 游戏 game

8. shàng 上 go
9. wǎng 网 Internet
   shàng wǎng 上网 go on the Internet
10. pǎo 跑 run
11. bù 步 step　pǎo bù 跑步 run; jog
12. jiào 叫 shout; bark

1 Listen, clap and practise. 🎧35

wǒ jiā de xiǎo huā gǒu　xǐ huan xué wǒ de yàng
我家的小花狗，喜欢学我的样。

wǒ qù shuā yá tā yě shuā
我去刷牙它也刷，

wǒ qù pǎo bù tā yě pǎo
我去跑步它也跑，

wǒ zuò zuò yè tā yě zuò
我做作业它也做，

wǒ wánr yóu xì tā yě wánr
我玩儿游戏它也玩儿，

nǐ shuō hǎo wánr bù hǎo wánr
你说好玩儿不好玩儿。

2 Recite the times table on page 120.

yī liù dé liù 一六得六，……六六三十六。 liù liù sān shí liù
1×6=6　　　　　　6×6=36

3 Look, read and match.

		kàn shū
		6 a) 看书
		huá bīng
		b) 滑冰
		huá xuě
		c) 滑雪
		pǎo bù
		d) 跑步
		kàn diàn shì
		e) 看电视
		kàn diàn yǐng
		f) 看电影
		tī zú qiú
		g) 踢足球
		tán gāng qín
		h) 弹钢琴
		zuò zuò yè
		i) 做作业
		wánr diàn nǎo yóu xì
		j) 玩儿电脑游戏
		shàng wǎng
		k) 上网

4 Listen to the recording. Tick what is correct and cross what is incorrect. 🎧36

① ✗   ②   ③   ④

5 Game.

看书

read a book

EXAMPLE:

xué shēng   kàn shū
学 生 1：看书

xué shēng
学 生 2： read a book

INSTRUCTIONS:

1 The class is divided into pairs.

2 Each pair is given a card with only Chinese characters on it. Student A reads out the word, and Student B is asked to tell the meaning of the word.

3 The pair is out of the game, if he/she pronounces the word incorrectly or tells the wrong meaning.

4 In the second round, Student A and Student B reverse roles.

6 Answer the questions.

    jīn tiān jǐ yuè jǐ hào   jīn tiān xīng qī jǐ
1) 今天几月几号？今天星期几？

    míng tiān jǐ yuè jǐ hào   míng tiān xīng qī jǐ
2) 明天几月几号？明天星期几？

7 Speaking practice.

7:00	起床
7:30	吃早饭
8:00	去上学
8:30	开始上课
13:00	吃午饭
15:20	放学回家
16:00	做作业
18:00	吃晚饭
19:00	看电视
21:00	睡觉

EXAMPLE:

wǒ yì bān qī diǎn qǐ chuáng wǒ
我一般七点起床。我

qī diǎn bàn chī zǎo fàn wǒ bā diǎn qù
七点半吃早饭。我八点去

shàng xué wǒ zuò xiào chē shàng xué
上学。我坐校车上学。

wǒ men bā diǎn bàn kāi shǐ shàng kè wǒ
我们八点半开始上课。我

xià wǔ yī diǎn chī wǔ fàn
下午一点吃午饭。……

IT IS YOUR TURN!

Introduce your daily routine to the class.

8 Learn the characters.

qì
气
gas

fēi
飞
fly

9 Make short conversations.

nǐ zhī dao shéi xǐ huan dǎ qiú ma
你知道谁喜欢打球吗?

wáng tiān yī xǐ huan dǎ qiú
王天一喜欢打球。

wáng tiān yī nǐ xǐ huan
王天一，你喜欢

dǎ qiú ma
打球吗?

xǐ huan
喜欢。

Phrases:

kàn shū	huá xuě	tī zú qiú	chī kuài cān
1) 看书	2) 滑雪	3) 踢足球	4) 吃快餐
kàn diàn shì	shàng wǎng	tán gāng qín	qí zì xíng chē
5) 看电视	6) 上网	7) 弹钢琴	8) 骑自行车
kàn diàn yǐng	qí mǎ	zuò zuò yè	hē kě lè
9) 看电影	10) 骑马	11) 做作业	12) 喝可乐
huá bīng	pǎo bù	chī líng shí	wánr diàn nǎo yóu xì
13) 滑冰	14) 跑步	15) 吃零食	16) 玩儿电脑游戏

10 Say the numbers in Chinese.

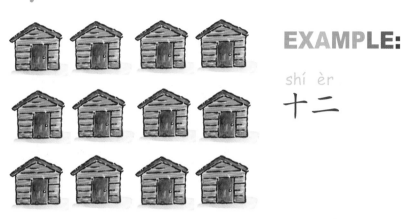

EXAMPLE:

shí èr

十二

①

②

③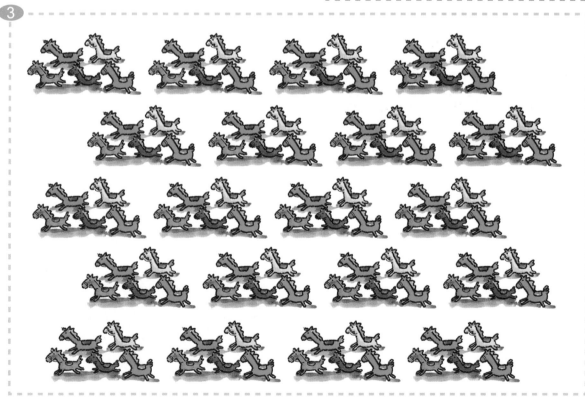

dì shí kè
第十课

zài gōng yuán li
在公园里

 37

1 zài gōng yuán li　xiǎo dì di bú jiàn le
在公园里，小弟弟不见了。

2 dì di bú zài huá huá tī
弟弟不在滑滑梯。

3 dì di bú zài dàng qiū qiān
弟弟不在荡秋千。

10

4 弟弟不在拍皮球。
dì di bú zài pāi pí qiú

5 弟弟不在捉迷藏。
dì di bú zài zhuō mí cáng

6 弟弟在那儿。
dì di zài nàr

他在树屋里。
tā zài shù wū li

gōng	dàng	cáng
① 公 public	⑤ 荡 swing	⑪ 藏 hide
yuán	qiū qiān	zhuō mí cáng
② 园 garden	⑥ 秋千 swing	捉迷藏 hide-and-seek
gōng yuán	pāi	nà
公园 park	⑦ 拍 dribble	⑫ 那 that
zài	pí qiú	nàr
③ 在 be doing	⑧ 皮球 ball	那儿 there
tī	zhuō	shù
④ 梯 ladder; stairs	⑨ 捉 grab; catch	⑬ 树 tree
huá tī	mí	wū
滑梯 children's slide	⑩ 迷 lost	⑭ 屋 house

1 Read, guess and match.

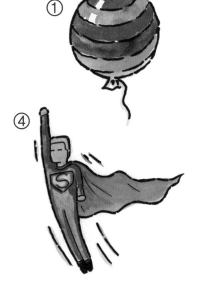

liǎng zhī māo
3 a) 两只猫

liù tiáo yú
☐ b) 六条鱼

yí ge cǎi sè qì qiú
☐ c) 一个彩色气球

yì zhī yáng
☐ d) 一只羊

liǎng duǒ yún
☐ e) 两朵云

yí ge chāo rén
☐ f) 一个超人

2 Learn the characters.

quǎn ①

犬

dog

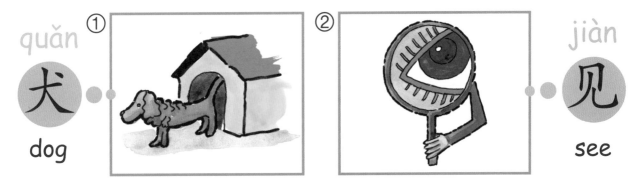

②

jiàn

见

see

3 Game.

马力喜欢骑自行车。

对。

INSTRUCTIONS:

1　The whole class may join the game.

2　One student guesses if his classmate likes doing certain things. The classmate either says "correct" or "incorrect".

EXAMPLE:

xué shēng　　mǎ lì　xǐ huan qí　zì xíng chē
学 生 1：马力喜欢骑自行车。

xué shēng　　duì　　bú duì
学 生 2：对。（不对。）

4 Listen, clap and practise. 🎧39

gōng yuán li　　hái zi duō
公 园 里，孩子多。

yǒu de huá huá tī　　yǒu de dàng qiū qiān
有的滑滑梯，有的荡秋千，

yǒu de pāi pí qiú　　yǒu de zhuō mí cáng
有的拍皮球，有的捉迷藏。

5 Make short conversations.

EXAMPLE:

A: <ruby>你<rt>nǐ</rt></ruby> <ruby>喜<rt>xǐ</rt></ruby> <ruby>欢<rt>huan</rt></ruby> <ruby>荡<rt>dàng</rt></ruby> <ruby>秋<rt>qiū</rt></ruby> <ruby>千<rt>qiān</rt></ruby> <ruby>吗<rt>ma</rt></ruby>？

B: <ruby>喜<rt>xǐ</rt></ruby> <ruby>欢<rt>huan</rt></ruby>。（<ruby>不<rt>bù</rt></ruby> <ruby>喜<rt>xǐ</rt></ruby> <ruby>欢<rt>huan</rt></ruby>。）

① 荡秋千
② 捉迷藏
③ 滑滑梯
④ 玩儿电脑游戏
⑤ 看电视
⑥ 踢足球
⑦ 拍皮球
⑧ 滑冰
⑨ 上网
⑩ 弹钢琴
⑪ 骑自行车
⑫ 看书

6 Recite the times table on page 120.

<ruby>一<rt>yī</rt></ruby> <ruby>六<rt>liù</rt></ruby> <ruby>得<rt>dé</rt></ruby> <ruby>六<rt>liù</rt></ruby>，…… <ruby>六<rt>liù</rt></ruby> <ruby>六<rt>liù</rt></ruby> <ruby>三<rt>sān</rt></ruby> <ruby>十<rt>shí</rt></ruby> <ruby>六<rt>liù</rt></ruby>。

1×6=6　　　　6×6=36

7 Speaking practice.

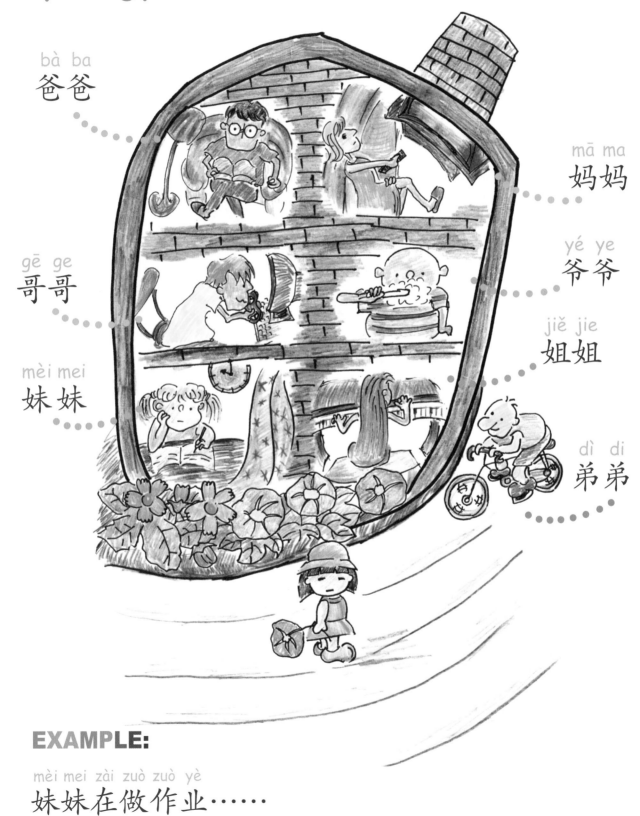

bà ba
爸爸

mā ma
妈妈

yé ye
爷爷

gē ge
哥哥

jiě jie
姐姐

mèi mei
妹妹

dì di
弟弟

EXAMPLE:

mèi mei zài zuò zuò yè
妹妹在做作业……

8 Listen to the recording. Tick what is correct and cross what is incorrect. 🎧 40

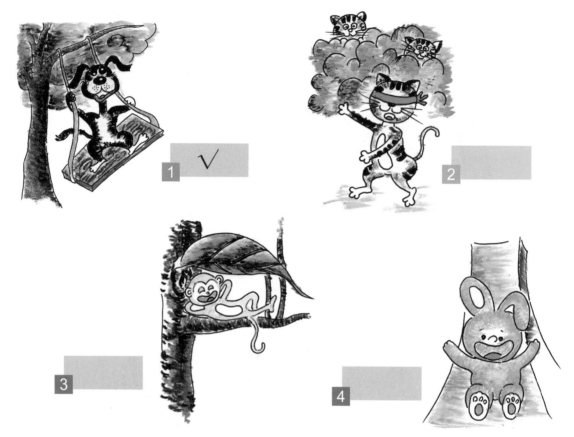

9 Ask five classmates the questions.

1) nǐ zǎo shang yì bān jǐ diǎn qǐ chuáng
你早上一般几点起床？

2) nǐ zǎo fàn yì bān chī shén me
你早饭一般吃什么？

3) nǐ wǎn shang yì bān zuò shén me
你晚上一般做什么？

4) nǐ xīng qī liù yì bān zuò shén me
你星期六一般做什么？

10 Colour in the picture and describe it in Chinese.

EXAMPLE:
yǒu de rén zài dàng qiū qiān
有的人在荡秋千，
yǒu de rén zài
有的人在……

11 Project.

Design a theme park and describe it to the class.

dì shí yī kè
第十一课
lǎo hǔ hé xiǎo tù
老虎和小兔

lǎo hǔ lái le　　kuài bǎ
老虎来了！快把
chuāng zi guān shang
窗子关上！

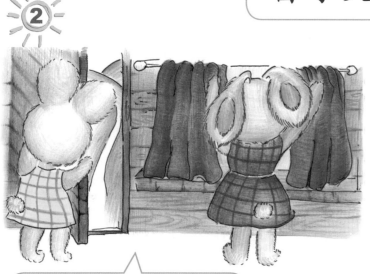

kuài bǎ mén guān shang
快把门关上！

kuài bǎ dēng guān shang
快把灯关上！

74

4

xiǎo bái tù
小白兔，
qǐng kāi chuāng
请开窗！

bù kāi　　bù kāi
不开！不开！
jiù bù kāi
就不开！

5

xiǎo bái tù
小白兔，
qǐng kāi mén
请开门！

bù kāi　　bù kāi
不开！不开！
jiù bù kāi
就不开！

New words:

1 bǎ 把 a particle

2 chuāng 窗 window   chuāng zi 窗子 window

3 guān 关 close; turn off
guān shang 关上 close; turn off

4 mén 门 door

5 kāi 开 open; turn on   kāi mén 开门 open the door

6 dēng 灯 lamp

7 jiù 就 just

1 Say in Chinese.

1 对不起！

2 请进！

3 别说话！

4 站起来！

5 请举手！

6 请坐下！

7 请关灯！

8 请开灯！

9 请开窗！

10 请关窗！

11 请开门！

12 请关门！

2 Game.

坐下!

INSTRUCTIONS:

1 This game is just like "Simon says". The whole class may join the game.

2 When the teacher says a command, the students are expected to follow the command.

3 Those who do not follow the command are out of the game.

Phrases:

zuò xia
1) 坐下

kāi mén
2) 开门

kāi dēng
3) 开灯

tán gāng qín
4) 弹钢琴

kāi chuāng
5) 开窗

pǎo bù
6) 跑步

tī zú qiú
7) 踢足球

zhàn qǐ lai
8) 站起来

qí mǎ
9) 骑马

chī fàn
10) 吃饭

dàng qiū qiān
11) 荡秋千

qí zì xíng chē
12) 骑自行车

3 Listen to the recording. Tick what is correct and cross what is incorrect. 🎧43

1 ×

2

3

4

4 Learn the characters.

zú
足
foot

①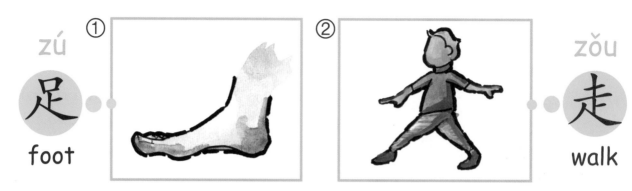

②

zǒu
走
walk

5 Listen, clap and practise. 🎧44

lǎo hǔ yào chī xiǎo bái tù
老虎要吃小白兔。

xiǎo tù guān shang mén
小兔关上门，

xiǎo tù guān shang chuāng
小兔关上窗，

xiǎo tù guān shang dēng
小兔关上灯，

lǎo hǔ jìn bu qù
老虎进不去。

6 Recite the times table on page 120.

yī qī dé qī   qī qī sì shí jiǔ
一七得七，……七七四十九。
1 x 7 = 7   7 x 7 = 49

7 Ask your classmates the questions.

nǐ jīn nián jǐ suì　　nǐ shàng jǐ nián jí
1) 你今年几岁？你上几年级？

nǐ shì nǎ guó rén　　nǐ huì shuō shén me yǔ yán
2) 你是哪国人？你会说什么语言？

nǐ zǎo shang yì bān jǐ diǎn qǐ chuáng　　nǐ chī zǎo fàn ma
3) 你早上一般几点起床？你吃早饭吗？

nǐ měi tiān zěn me shàng xué
4) 你每天怎么上学？

nǐ men xué xiào yǒu cāo chǎng ma　　yǒu jǐ ge
5) 你们学校有操场吗？有几个？

nǐ xǐ huan shàng shén me kè　　nǐ bù xǐ huan shàng shén me kè
6) 你喜欢上什么课？你不喜欢上什么课？

nǐ xǐ huan chī shén me　　nǐ xǐ huan hē shén me
7) 你喜欢吃什么？你喜欢喝什么？

nǐ yǒu shén me ài hào
8) 你有什么爱好？

8 Project.

Create a story about the animals you choose and draw a few pictures to illustrate it. Tell the story to the class.

dì shí èr kè
第十二课

guò shēng rì
过生日

1 jīn tiān xiǎo guāng guò shēng rì
今天小光过生日。

2

cān zhuō shang yǒu shǔ piàn
餐桌上有薯片、

shǔ tiáo　　qiǎo kè lì
薯条、巧克力、

bǐng gān　　bīng qí lín
饼干、冰淇淋、

dàn gāo děng
蛋糕等。

3 xiǎo gǒu tiào shang zhuō zi bǎ dàn gāo chī le
小狗跳上桌子，把蛋糕吃了。

4 xiǎo guāng zuò zài dì shang
小光坐在地上
kū le qi lai
哭了起来。

New words: 🎧46

1. **guò** 过 spend (time)

2. **cān zhuō** 餐桌 dining table

3. **shǔ** 薯 potato; yam

   shǔ tiáo 薯条 French fries

4. **piàn** 片 slice　**shǔ piàn** 薯片 crisps

5. **qiǎo kè lì** 巧克力 chocolate

6. **bǐng** 饼 round flat cake

7. **gān** 干 dry　**bǐng gān** 饼干 biscuit

8. **bīng qí lín** 冰淇淋 ice cream

9. **gāo** 糕 cake　**dàn gāo** 蛋糕 cake

10. **tiào** 跳 jump

11. **kū** 哭 cry

12. **qǐ lái** 起来 indicate the start of an anction

1 Look, read and match.

① ② ③

④ ⑤ ⑥

⑦ ⑧

bǐng gān
[8] a) 饼干

shǔ tiáo
[ ] b) 薯条

qiǎo kè lì
[ ] c) 巧克力

dàn gāo
[ ] d) 蛋糕

shǔ piàn
[ ] e) 薯片

miàn bāo
[ ] f) 面包

hàn bǎo bāo
[ ] g) 汉堡包

sān míng zhì
[ ] h) 三明治

2 Learn the characters.

zì jǐ

自 己

oneself

3 Ask your classmates the questions.

nǐ yì bān jǐ diǎn qǐ chuáng　　jǐ diǎn shuì jiào
1) 你一般几点起床？几点睡觉？

nǐ jǐ diǎn shàng xué　　nǐ zěn me shàng xué
2) 你几点上学？你怎么上学？

jīn tiān jǐ yuè jǐ hào　　xīng qī jǐ　　xiàn zài jǐ diǎn
3) 今天几月几号？星期几？现在几点？

4 Game.

INSTRUCTIONS:

1 The whole class may join the game.

2 When the teacher says an action word, the students are expected to act it out.

3 Those who do not act accordingly are out of the game.

kū tiào pǎo pāi zhàn shuō zuò
Action words: 哭 跳 跑 拍 站 说 坐

5 Listen to the recording. Tick what is correct and cross what is incorrect. 🎧 47

6 Game.

INSTRUCTIONS:

1 The teacher prepares some cards with Chinese words on them.

2 Each student is given a card and must not show the card to anyone. The students take turns going up to the board to draw a picture of the word.

3 The rest of the class guesses what the word is and says it in Chinese.

Words on the cards:

mén	chuāng	zhuō zi	yǐ zi	shù
1) 门	2) 窗	3) 桌子	4) 椅子	5) 树

dēng	chuáng	chǐ zi	xiàng pí	juǎn bǐ dāo
6) 灯	7) 床	8) 尺子	9) 橡皮	10) 卷笔刀

liáng xié	wéi jīn	shù wū	guā fēng	xuě rén
11) 凉鞋	12) 围巾	13) 树屋	14) 刮风	15) 雪人

7 Ask your classmates the questions.

EXAMPLE:
nǐ xǐ huan chī shǔ piàn ma
你喜欢吃薯片吗？

	Number of students like ...		Number of students like ...
shǔ piàn **①** 薯片	正	miàn bāo **⑧** 面包	
shǔ tiáo **②** 薯条		miàn tiáo **⑨** 面条	
bǐng gān **③** 饼干		mǐ fàn **⑩** 米饭	
dàn gāo **④** 蛋糕		líng shí **⑪** 零食	
qiǎo kè lì **⑤** 巧克力		niú nǎi **⑫** 牛奶	
jī dàn **⑥** 鸡蛋		guǒ zhī **⑬** 果汁	
rè gǒu **⑦** 热狗		kě lè **⑭** 可乐	

8 Recite the times table on page 120.

yī qī dé qī
一七得七，……
1×7=7

qī qī sì shí jiǔ
七七四十九。
7×7=49

9 Write the characters.

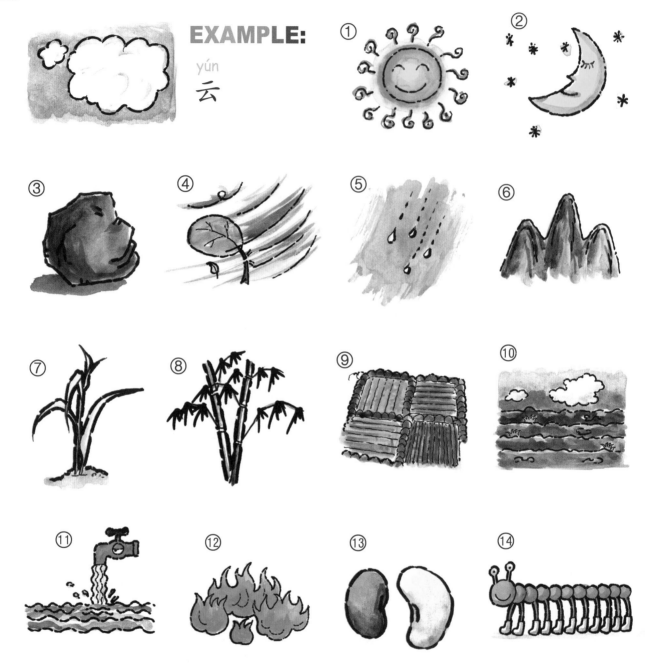

EXAMPLE:

yún
云

① ② ③ ④ ⑤ ⑥ ⑦ ⑧ ⑨ ⑩ ⑪ ⑫ ⑬ ⑭

10 Project.

Design a birthday cake or card for your best friend.

11 Listen, clap and practise. 🎧48

wǒ jiā xiǎo mèi mei
我家小妹妹，

xǐ huan chī dōng xi
喜欢吃东西：

chī le shǔ piàn chī shǔ tiáo
吃了薯片吃薯条，

chī le bǐng gān chī dàn gāo
吃了饼干吃蛋糕。

chī le qiǎo kè lì　　hái chī bīng qí lín
吃了巧克力，还吃冰淇淋。

12 Speaking practice.

EXAMPLE:

wǒ jiào gāo wén qín　　wǒ jiā yǒu sì kǒu rén　　bà ba　　mā
我叫高文琴。我家有四口人：爸爸、妈

ma　　mèi mei hé wǒ　　wǒ xǐ huan chī líng shí　　wǒ hěn xǐ huan chī qiǎo
妈、妹妹和我。我喜欢吃零食。我很喜欢吃巧

kè lì hé shǔ piàn　　wǒ hái xǐ huan chī shuǐ guǒ　　wǒ hěn xǐ huan chī
克力和薯片。我还喜欢吃水果。我很喜欢吃

xiāng jiāo　　wǒ bú tài xǐ huan chī shū cài
香蕉。我不太喜欢吃蔬菜。……

IT IS YOUR TURN!

Introduce your family members and say what they like to eat and drink.

dì shí sān kè
第十三课

tā xǐ huan chī ròu
他喜欢吃肉

xiǎo guāng hěn xǐ huan chī ròu
1 小 光 很喜欢吃肉。

tā xǐ huan chī jī ròu niú ròu yáng ròu hé zhū ròu
2 他喜欢吃鸡肉、牛肉、羊肉和猪肉。

tā zuì xǐ huan chī niú pái

他最喜欢吃牛排。

tā yě xǐ huan chī huǒ tuǐ hé

他也喜欢吃火腿和

xiāng cháng

香 肠。

1 róu
肉 meat

jī róu
鸡肉 chicken (meat)

niú róu
牛肉 beef

2 yáng
羊 sheep   yáng ròu
羊肉 lamb

3 zhū
猪 pig   zhū ròu
猪肉 pork

4 zuì
最 most

5 pái
排 ribs   niú pái
牛排 beefsteak

6 huǒ tuǐ
火腿 ham

7 cháng
肠 sausage

xiāng cháng
香肠 sausage

1 Look, read and match.

①

②

③

④

⑤

⑥

⑦

⑧

jī
2 a) 鸡

zhū
b) 猪

niú
c) 牛

yáng
d) 羊

mǎ
e) 马

gǒu
f) 狗

māo
g) 猫

yú
h) 鱼

2 Ask your classmates the questions.

EXAMPLE:
nǐ xǐ huan chī jī ròu ma
你喜欢吃鸡肉吗？

	Number of students like ...		Number of students like ...
jī ròu ① 鸡肉	正	niú pái ⑤ 牛排	
niú ròu ② 牛肉		xiāng cháng ⑥ 香肠	
yáng ròu ③ 羊肉		huǒ tuǐ ⑦ 火腿	
zhū ròu ④ 猪肉		yú ⑧ 鱼	

3 Game.

INSTRUCTIONS:

1 The class is divided into small groups.

2 Each group is asked to add one character to form a word. The students may write pinyin if they cannot write characters.

3 The group making more correct words than any other groups wins the game.

EXAMPLE:
jī
鸡<u>蛋</u>

4 Learn the characters.

fù

父

father

①

②

mǔ

母

mother

fù mǔ

父母

parents

5 Ask your partner the questions.

nǐ nǎ nián chū shēng   nǐ shǔ shén me
1) 你哪年出 生？你属什么？

nǐ xǐ huan shén me dòng wù
2) 你喜欢 什么动物？

nǐ men jiā yǎng chǒng wù ma   yǎng le shén me chǒng wù
3) 你们家养 宠物吗？养了什么宠物？

nǐ xǐ huan chī ròu ma   xǐ huan chī shén me ròu
4) 你喜欢吃肉吗？喜欢吃什么肉？

nǐ xǐ huan chī yú ma
5) 你喜欢吃鱼吗？

nǐ xǐ huan chī shén me líng shí
6) 你喜欢吃什么零食？

6 Listen to the recording. Tick what is correct and cross what is incorrect. 🎧51

√ **1**	**2**
3	**4**

7 Listen, clap and practise. 🎧52

gē ge ài chī ròu
哥哥爱吃肉：

zhū ròu　　niú ròu hé huǒ tuǐ
猪肉、牛肉和火腿。

yáng ròu　　niú pái hé xiāng cháng
羊肉、牛排和香肠。

8 Recite the times table on page 120.

yī bā dé bā　　　bā bā liù shí sì
一八得八，……八八六十四。
1×8=8　　　　8×8=64

9 **Design a zoo for your hometown and include the animals below.**

hóu zi	lǎo hǔ	dà xiàng	shī zi	mǎ	gǒu	māo	niú	yáng
猴子	老虎	大象	狮子	马	狗	猫	牛	羊

shé	xióng māo	hēi xióng	tù zi
蛇	熊猫	黑熊	兔子

10 Game.

INSTRUCTIONS:

1 The teacher prepares some cards with Chinese words on them.

2 Each student gets a card and he/she has to walk around to find other students with the matching words to form a sentence.

EXAMPLE:

我妈妈 ＋ 喜欢 ＋ 吃鱼 ＝ wǒ mā ma xǐ huan chī yú 我妈妈喜欢吃鱼。

11 Project.

Create a new kind of animal by combining two different animals. Let the students guess what animals you used.

dì shí sì kè
第十四课

tā ài chī xī cān
她爱吃西餐

〔53〕

☀ **1**　tián bīng shì zhōng guó rén　tā zài měi guó chū shēng
田冰是中国人。她在美国出生。

☀ **2**　tā bú tài xǐ huan chī zhōng cān
她不太喜欢吃中餐。

tā xǐ huan chī xī cān
她喜欢吃西餐。

☀ **3**　tā xǐ huan chī yì dà lì miàn
她喜欢吃意大利面、

bǐ sà bǐng　shā lā děng děng
比萨饼、沙拉等等。

tā hái xǐ huan chī suān

4 她还喜欢吃酸

nǎi hé nǎi lào

奶和奶酪。

nǎi nai kāi wán xiào shuō   nǐ

5 奶奶开玩笑说："你

bú shì zhōng guó rén le

不是中国人了！"

zhōng cān
① 中餐 Chinese food

xī cān
② 西餐 Western food

yì dà lì
③ 意大利 Italy

yì dà lì miàn
意大利面 spaghetti

bǐ sà bǐng
④ 比萨饼 pizza

shā lā
⑤ 沙拉 salad

suān suān nǎi
⑥ 酸 sour 酸奶 yoghurt

lào nǎi lào
⑦ 酪 milk curd 奶酪 cheese

xiào wán xiào
⑧ 笑 smile; laugh 玩笑 joke

kāi kāi wán xiào
⑨ 开 hold 开玩笑 joke

1 Look, read and match.

① ② ③
④ ⑤ ⑥
⑦ ⑧

nǎi lào
[2] a) 奶酪

suān nǎi
[ ] b) 酸奶

dàn gāo
[ ] c) 蛋糕

sān míng zhì
[ ] d) 三明治

shū cài tāng
[ ] e) 蔬菜汤

bǐ sà bǐng
[ ] f) 比萨饼

yì dà lì miàn
[ ] g) 意大利面

shuǐ guǒ shā lā
[ ] h) 水果沙拉

2 Learn the characters.

zǐ

子

son; child

① ②

nǚ

女

daughter

3 Game.

INSTRUCTIONS:

1 The class is divided into small groups.

2 Each group is asked to write radicals.

3 The group writing more correct radicals than any other groups wins the game.

4 Project.

Create a new kind of vegetable by combining two different vegetables. Let the students guess what vegetables you used.

5 Ask your classmates the questions.

	hěn xǐ huan 很喜欢	xǐ huan 喜欢	bú tài xǐ huan 不太喜欢	bù xǐ huan 不喜欢
nǐ xǐ huan chī zhōng cān ma 1) 你喜欢吃 中餐吗？	正	下	下	一
nǐ xǐ huan chī xī cān ma 2) 你喜欢吃西餐吗？				
nǐ xǐ huan chī kuài cān ma 3) 你喜欢吃快餐吗？				
nǐ xǐ huan chī líng shí ma 4) 你喜欢吃零食吗？				

Report back to the class:

EXAMPLE:

wǔ ge tóng xué hěn xǐ huan chī zhōng cān　　sì
五个同学很喜欢吃 中餐。四

ge tóng xué xǐ huan chī zhōng cān　　sān ge tóng xué bú
个同学喜欢吃 中餐。三个同学不

tài xǐ huan chī zhōng cān　　yí ge tóng xué bù xǐ huan
太喜欢吃 中餐。一个同学不喜欢

chī zhōng cān　　wǒ men bān de tóng xué dōu xǐ huan chī
吃 中餐。我们班的同学都喜欢吃

xī cān
西餐。……

6 Listen to the recording. Tick what is correct and cross what is incorrect. 🎧55

√ 1	2		
3	4		

7 Listen, clap and practise. 🎧56

wǒ zuì xǐ huan chī xī cān
我最喜欢吃西餐：

yì dà lì miàn   bǐ sà bǐng
意大利面、比萨饼；

niú nǎi   suān nǎi hé nǎi lào
牛奶、酸奶和奶酪；

shā lā   niú pái hé shǔ tiáo
沙拉、牛排和薯条。

Colour in the pictures, then say the names and colours in Chinese.

EXAMPLE:

tài yáng   hóng sè
太阳：红色

shān   zōng sè
山：棕色

1
2
3

4
5
6

9 **Recite the times table on page 120.**

yī bā dé bā   bā bā liù shí sì
一八得八，……八八六十四。
1x8=8   8x8=64

10 Speaking practice.

EXAMPLE:

tā xiǎng chī qiǎo kè lì
他 想 吃 巧 克 力。

①

坐校车

②

吃比萨饼

③

骑马

④

吃牛排

⑤

去上海

⑥

吃米饭

⑦

骑自行车

⑧

吃冰淇淋

dì shí wǔ kè
第十五课
tā ài chī shuǐ guǒ
她爱吃水果

huáng xiǎo hóng bù xǐ huan chī ròu
1 黄小红不喜欢吃肉。

tā xǐ huan chī shuǐ guǒ
2 她喜欢吃水果。

tā xǐ huan chī pú tao   lǐ zi   xī guā   cǎo méi
3 她喜欢吃葡萄、李子、西瓜、草莓、
lí   jú zi děng
梨、橘子等。

4

tā zuì xǐ huan chī xiāng
她最喜欢吃香
jiāo hé táo zi
蕉和桃子。

5

yé ye kāi wán xiào shuō
爷爷开玩笑说:
nǐ shì shǔ hóu de
"你是属猴的。"

New words: 58

1 pú tao 葡萄 grape

2 lǐ 李 plum   lǐ zi 李子 plum

3 xī guā 西瓜 watermelon

4 cǎo 草 grass

5 méi 莓 berry   cǎo méi 草莓 strawberry

6 lí 梨 pear

7 jú 橘 tangerine   jú zi 橘子 tangerine

8 táo 桃 peach   táo zi 桃子 peach

1 Look, read and match.

①    ②    ③    ④    ⑤

⑥   ⑦    ⑧   ⑨    ⑩

lán méi
6 a) 蓝莓   □ b) 李子 lǐ zi   □ c) 香蕉 xiāng jiāo   □ d) 草莓 cǎo méi

□ e) 葡萄 pú tao   □ f) 苹果 píng guǒ   □ g) 橘子 jú zi   □ h) 西瓜 xī guā

□ i) 梨 lí   □ j) 桃子 táo zi

2 Learn the characters.

zuǒ

左

left

yòu

右

right

3 Listen, clap and practise. 🎧59

mā ma zuì ài chī shuǐ guǒ
妈妈最爱吃水果，

chī le pú tao chī lǐ zi
吃了葡萄吃李子，

chī le cǎo méi chī táo zi
吃了草莓吃桃子，

chī le xī guā chī jú zi
吃了西瓜吃橘子。

4 Recite the times table on page 120.

yī jiǔ dé jiǔ
一九得九，
1×9=9

jiǔ jiǔ bā shí yī
……九九八十一。
9×9=81

5 Listen to the recording. Tick what is correct and cross what is incorrect. 🎧 60

6 Say the answers in Chinese.

1) $2 \times 6 =$ 2) $4 \times 6 =$ 3) $6 \times 6 =$

4) $4 \times 7 =$ 5) $5 \times 7 =$ 6) $7 \times 7 =$

7) $3 \times 8 =$ 8) $6 \times 8 =$ 9) $8 \times 8 =$

7 Choose the ingredients from page 109 and tell the class your recipe.

EXAMPLE:

zuò miàn bāo yào yòng miàn fěn
做面包要用面粉、

táng shuǐ jī dàn děng
糖、水、鸡蛋等。

You are going to make:

1) miàn bāo
面包

2) qiǎo kè lì dàn gāo
巧克力蛋糕

3) sān míng zhì
三明治

4) shū cài shā lā
蔬菜沙拉

5) shuǐ guǒ shā lā
水果沙拉

6) bǐ sà bǐng
比萨饼

①
xī guā
西瓜

②
xī hóng shì
西红柿

③
táo zi
桃子

④
xiāng jiāo
香蕉

⑤
qiǎo kè lì
巧克力

⑥
nǎi lào
奶酪

⑦
lí
梨

⑧
píng guǒ
苹果

⑨
niú pái
牛排

⑩
cǎo méi
草莓

⑪
pú tao
葡萄

⑫
huǒ tuǐ
火腿

⑬
huáng yóu
黄 油

⑭
jī ròu
鸡肉

⑮
xiāng cháng
香 肠

⑯
hú luó bo
胡萝卜

⑰
huáng guā
黄 瓜

⑱
shēng cài
生 菜

8 Ask your partner the questions.

nǐ xǐ huan chī shén me shuǐ guǒ 1) 你喜欢吃什么水果?	wǒ xǐ huan chī pú tao hé xī guā 我喜欢吃葡萄和西瓜。
nǐ xǐ huan chī shén me líng shí 2) 你喜欢吃什么零食?	wǒ xǐ huan chī qiǎo kè lì 我喜欢吃巧克力。
nǐ xǐ huan hē shén me 3) 你喜欢喝什么?	wǒ xǐ huan hē jú zi zhī 我喜欢喝橘子汁。
nǐ xǐ huan chī shén me ròu 4) 你喜欢吃什么肉?	wǒ xǐ huan chī niú ròu hé jī ròu 我喜欢吃牛肉和鸡肉。
nǐ xǐ huan chī shén me kuài cān 5) 你喜欢吃什么快餐?	wǒ xǐ huan chī rè gǒu 我喜欢吃热狗。
nǐ xǐ huan chī shén me zhōng cān 6) 你喜欢吃什么中餐?	wǒ xǐ huan chī dàn chǎo fàn 我喜欢吃蛋炒饭。

Report back to the class:

EXAMPLE:

xiǎo wén xǐ huan chī pú tao hé xī guā
小文喜欢吃葡萄和西瓜。

tā xǐ huan chī qiǎo kè lì   tā xǐ huan hē jú zi
她喜欢吃巧克力。她喜欢喝橘子

zhī   tā xǐ huan chī niú ròu hé jī ròu   tā xǐ
汁。她喜欢吃牛肉和鸡肉。她喜

huan chī rè gǒu   tā xǐ huan chī dàn chǎo fàn
欢吃热狗。她喜欢吃蛋炒饭。

110

9 Game.

Action words:

chuān 1) 穿	guān 9) 关	dǎ 17) 打
dài 2) 戴	kū 10) 哭	tán 18) 弹
pāi 3) 拍	xiào 11) 笑	kàn 19) 看
wèn 4) 问	tiào 12) 跳	zuò 20) 坐
shuō 5) 说	pǎo 13) 跑	zhàn 21) 站
chī 6) 吃	tī 14) 踢	huá 22) 滑
hē 7) 喝	zhuō 15) 捉	shuā 23) 刷
kāi 8) 开	jiǎn 16) 剪	xǐ 24) 洗

INSTRUCTIONS:

1 The whole class is divided into pairs.

2 Student A picks up a card with an action word on it, and Student B has to act it out.

3 If Student B acts incorrectly, the pair is out of the game.

10 Project.

Create a new kind of fruit by combining two different fruits. Let the students guess what fruits you used.

 +  =

dì shí liù kè
第十六课
lù shang chē zhēn duō
路上车真多

🎧 61

xiǎo guāng de dì di yí ge rén zǒu chū le jiā mén
1 小光的弟弟一个人走出了家门。

2

mǎ lù shang rén zhēn duō
马路上人真多！
chē yě zhēn duō
车也真多！

 3 dì shang yǒu gōng gòng qì chē   kǎ chē   xiǎo bā   chū

地 上 有 公 共 汽 车、 卡 车、 小 巴、 出

zū chē děng

租 车 等。

4

tiān shang yǒu fēi jī

天 上 有 飞 机。

5

xiǎo dì di kàn bu jiàn bà ba

小 弟 弟 看 不 见 爸 爸、

mā ma   tā kū le qi lai

妈 妈， 他 哭 了 起 来。

New words:

1 家门 jiā mén house gate; home
2 马路 mǎ lù road; street
3 真 zhēn really
4 共 gòng common　公共 gōng gòng public
5 汽 qì gas; steam
　汽车 qì chē motor car
　公共汽车 gōng gòng qì chē public bus

6 卡 kǎ truck　卡车 kǎ chē truck; lorry
7 小巴 xiǎo bā minibus
8 租 zū rent　出租 chū zū rent out
　出租车 chū zū chē taxi
9 天上 tiān shang sky
10 机 jī machine　飞机 fēi jī plane
11 看见 kàn jian see

1 Ask your partner the questions.

nǐ měi tiān zěn me shàng xué
1) 你每天怎么上学？

nǐ bà ba měi tiān zěn me shàng bān
2) 你爸爸每天怎么上班？

nǐ men jiā yǒu qì chē ma
3) 你们家有汽车吗？

nǐ huì qí zì xíng chē ma　　nǐ xǐ huan qí zì xíng chē ma
4) 你会骑自行车吗？ 你喜欢骑自行车吗？

nǐ xǐ huan zuò shén me chē
5) 你喜欢坐什么车？

2 Look, read and match.

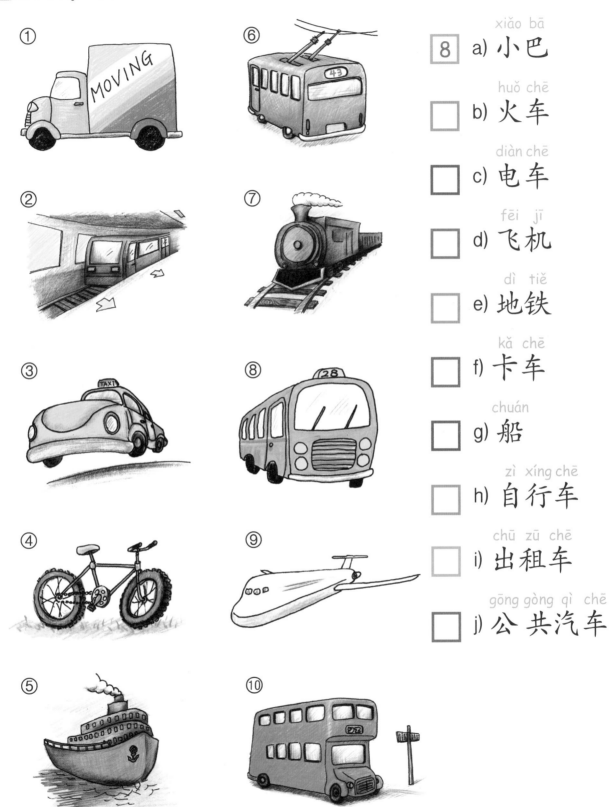

①

⑥

⑦

③

⑧

④

⑨

⑤

⑩

xiǎo bā
[8] a) 小巴

huǒ chē
[ ] b) 火车

diàn chē
[ ] c) 电车

fēi jī
[ ] d) 飞机

dì tiě
[ ] e) 地铁

kǎ chē
[ ] f) 卡车

chuán
[ ] g) 船

zì xíng chē
[ ] h) 自行车

chū zū chē
[ ] i) 出租车

gōng gòng qì chē
[ ] j) 公共汽车

3 Learn the characters.

chū
出
go or
come out

① ②

rù
入
go in or
come in

4 Recite the times table on page 120.

yī jiǔ dé jiǔ   jiǔ jiǔ bā shí yī
一九得九，……九九八十一。
1x9=9   9x9=81

5 Listen, clap and practise. 🎧63

mǎ lù shang   chē zhēn duō
马路上，车真多：

kǎ chē   xiǎo bā   xiǎo qì chē
卡车、小巴、小汽车，

gōng gòng qì chē   chū zū chē
公共汽车、出租车，

hái yǒu gè zhǒng zì xíng chē
还有各种自行车。

6 Listen to the recording. Tick what is correct and cross what is incorrect. 🎧64

7 Game.

EXAMPLE:

lǎo shī
老师：Female

xué shēng　nǚ
学 生：女

> **INSTRUCTIONS:**
>
> 1 The class is divided into small groups.
>
> 2 Each group is asked to write characters.
>
> 3 The group writing more correct characters than any other groups wins the game.

8 Say in Chinese.

1 Things you see:

rè qì qiú

热气球、……

2 Colours you see:

hóng sè

红色、……

9 Answer the questions.

shén me dòng wù yǒu sì tiáo tuǐ

1) 什么动物有四条腿？

shén me dòng wù yǒu liǎng tiáo tuǐ

2) 什么动物有两条腿？

shén me dòng wù zài tiān shang fēi

3) 什么动物在天上飞？

shén me dòng wù zài shuǐ li yóu

4) 什么动物在水里游？

shén me dòng wù zài dì shang pǎo

5) 什么动物在地上跑？

shén me dòng wù shēn shang yǒu máo

6) 什么动物身上有毛？

10 Group work: circle as many phrases as possible within a set period of time.

táo	jú	niú	zhū	jī	shuǐ	hóng	shǔ	tiáo	shā
桃	橘	牛	猪	鸡	水	红	薯	条	沙
lǐ	zi	yáng	ròu	píng	guǒ	diàn	tī	piàn	lā
李	子	羊	肉	苹	果	电	梯	片	拉
suān	nǎi	lào	xiāng	cháng	zhī	dòng	wù	chǎo	miàn
酸	奶	酪	香	肠	汁	动	物	炒	面
qiǎo	kè	lì	jiāo	bīng	qí	lín	shēng	cài	huā
巧	克	力	蕉	冰	淇	淋	生	菜	花
shàng	bān	liàn	zuò	zuò	yè	yù	sān	míng	zhì
上	班	练	做	作	业	浴	三	明	治
xià	kè	xí	fàn	dà	jiào	shì	jīn	tiān	kàn
下	课	习	饭	大	教	室	今	天	看
rì	jì	běn	yǔ	xuě	shī	diàn	nǎo	yóu	xì
日	记	本	雨	雪	师	电	脑	游	戏

11 Project.

Create three types of transport: one that can fly, one that can run on the ground and another one that can travel in water. Try to name each of your inventions.

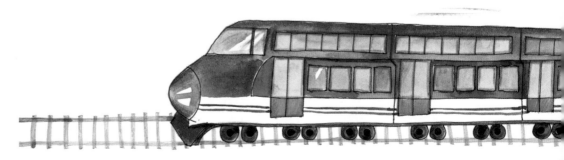

chéng fǎ kǒu jué biǎo
乘法口诀表

TIMES TABLE

yī yī dé yī
一一得一
1x1=1

yī èr dé èr　　èr èr dé sì
一二得二　　二二得四
1x2=2　　　　2x2=4

yī sān dé sān　　èr sān dé liù　　sān sān dé jiǔ
一三得三　　　二三得六　　　三三得九
1x3=3　　　　　2x3=6　　　　　3x3=9

yī sì dé sì　　èr sì dé bā　　sān sì shí èr　　sì sì shí liù
一四得四　　　二四得八　　　三四十二　　　四四十六
1x4=4　　　　2x4=8　　　　3x4=12　　　4x4=16

yī wǔ dé wǔ　　èr wǔ shí　　sān wǔ shí wǔ　　sì wǔ èr shí　　wǔ wǔ èr shí wǔ
一五得五　　　二五一十　　　三五十五　　　四五二十　　　五五二十五
1x5=5　　　　2x5=10　　　　3x5=15　　　4x5=20　　　5x5=25

yī liù dé liù　　èr liù shí èr　　sān liù shí bā　　sì liù èr shí sì　　wǔ liù sān shí　　liù liù sān shí liù
一六得六　　　二六十二　　　三六十八　　　四六二十四　　　五六三十　　　六六三十六
1x6=6　　　　2x6=12　　　　3x6=18　　　4x6=24　　　5x6=30　　　6x6=36

yī qī dé qī　　èr qī shí sì　　sān qī èr shí yī　　sì qī èr shí bā　　wǔ qī sān shí wǔ　　liù qī sì shí èr　　qī qī sì shí jiǔ
一七得七　　　二七十四　　　三七二十一　　　四七二十八　　　五七三十五　　　六七四十二　　　七七四十九
1x7=7　　　　2x7=14　　　　3x7=21　　　4x7=28　　　5x7=35　　　6x7=42　　　7x7=49

yī bā dé bā　　èr bā shí liù　　sān bā èr shí sì　　sì bā sān shí èr　　wǔ bā sì shí　　liù bā sì shí bā　　qī bā wǔ shí liù　　bā bā liù shí sì
一八得八　　　二八十六　　　三八二十四　　　四八三十二　　　五八四十　　　六八四十八　　　七八五十六　　　八八六十四
1x8=8　　　　2x8=16　　　　3x8=24　　　4x8=32　　　5x8=40　　　6x8=48　　　7x8=56　　　8x8=64

yī jiǔ dé jiǔ　　èr jiǔ shí bā　　sān jiǔ èr shí qī　　sì jiǔ sān shí liù　　wǔ jiǔ sì shí wǔ　　liù jiǔ wǔ shí sì　　qī jiǔ liù shí sān　　bā jiǔ qī shí èr　　jiǔ jiǔ bā shí yī
一九得九　　　二九十八　　　三九二十七　　　四九三十六　　　五九四十五　　　六九五十四　　　七九六十三　　　八九七十二　　　九九八十一
1x9=9　　　　2x9=18　　　　3x9=27　　　4x9=36　　　5x9=45　　　6x9=54　　　7x9=63　　　8x9=72　　　9x9=81